12115   ABC

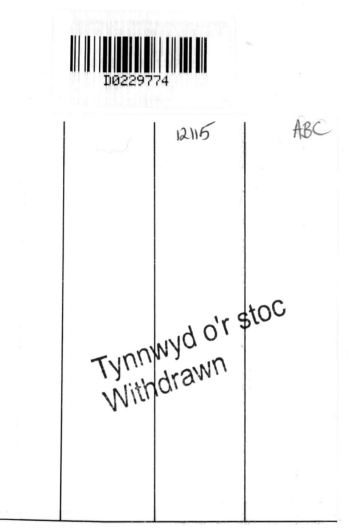

Tynnwyd o'r stoc
Withdrawn

CAERPHILLY
COUNTY BOROUGH COUNCIL
CYNGOR BWRDEISTREF SIROL
CAERFFILI

Please return / renew this item by the last date shown above
Dychwelwch / Adnewyddwch erbyn y dyddiad olaf y nodir yma

DWY FARWOLAETH ENDAF ROWLANDS

TONY BIANCHI

Nid oes namyn Duw ei hun
All glywed esgyll glöyn.

Gerallt Lloyd Owen

Gomer

Hoffai'r awdur ddiolch i'r canlynol: Logan Bianchi Jones am y lluniau ar dudalen 10 a thudalen 14; Gary Evans am y lluniau ar dudalen 83 a thudalen 129; Gari Lloyd am y gwaith cysodi; Aled Evans am sgwrs mewn tafarn; ac Elinor Wyn Reynolds a Huw Meirion Edwards am eu craffter golygyddol arferol.

Cyhoeddwyd yn 2015 gan
Wasg Gomer, Llandysul, Ceredigion SA44 4JL
www.gomer.co.uk

ISBN 978 1 78562 028 7
ISBN 978 1 78562 029 4 (ePUB)
ISBN 978 1 78562 030 0 (Kindle)

Cyhoeddir gyda chymorth ariannol
Cyngor Llyfrau Cymru.

Argraffwyd a rhwymwyd yng Nghymru ar ran
Llys Eisteddfod Genedlaethol Cymru gan
Wasg Gomer, Llandysul, Ceredigion.

1

1

1979

'Ti'n grwt bach lwcus, Tomos.'

'Pam 'ny, Mam?'

'Achos rwyt ti'n cael rhannu dy ben-blwydd gyda Iesu Grist.'

Ond nid rhannu, chwaith. Dridiau ar ôl y Nadolig y cefais fy ngeni, nid ddydd Nadolig, ac roedd hynny'n golygu bod Iesu Grist wedi achub y blaen arna i. Dim ond tri diwrnod, ond digon i Fab Duw ddod yn ben ar Ei breseb Ei hun a mynd yn grac wedyn o weld Mab y *Launderette* yn ceisio hwpo'i hunan i mewn wrth Ei ochr.

Peth cyfyng oedd preseb hefyd, ac yn fwy cyfyng fyth yn y dyddiau hynny. Roedd Thatcher eisoes wedi dwyn y llaeth oddi ar blant bach y wlad ac roedd pawb yn gofyn, 'Beth nesaf? Beth nesaf?' Ac erbyn meddwl, efallai fod gan Mam a Dad ryw gydymdeimlad â merch y siopwr darbodus, am fod ganddyn nhw eu siop eu hunain hefyd, a honno heb gael ei thraed dani eto. Cyfri'r ceiniogau oedd y rheol yng Nghaerdydd a Grantham fel ei gilydd, a doedd neb eisiau dechrau ar fusnes yr anrhegion eto, ddim mor fuan, a hirlwm Ionawr ar y gorwel.

Rhyw ben-blwydd disylw, felly, ges i unwaith yn rhagor, yng nghysgod y goeden Nadolig. A dyna pam rwy'n dweud na fues i'n lwcus o gwbl, ac mai peth annoeth, hyd yn oed yn yr oes annuwiol honno, oedd ceisio cystadlu â'r baban Iesu. Dwi ddim yn cwyno. Dim ond ei dweud hi fel yr oedd hi.

Eto i gyd, er gwaethaf y diffyg dathlu, roeddwn i'n ddigon hapus i fod yn saith mlwydd oed. Y Nadolig hwnnw, aethom i dŷ Mam-gu a Dad-cu a threulio wythnos ymhlith y gwartheg a'r defaid. 'Fel y tri gŵr doeth,' meddai Mam, wrth i'r trên dynnu allan o orsaf Caerdydd. 'Fel pererinion,' meddai wedyn, ar ôl i ni ffarwelio â'r ddinas a gweld y caeau gwyrdd a'r bryniau yn y pellter. Cadwai Dad yn dawel. Syllai trwy'r ffenest. Tynnai ar ei goler. Dim ond amser Nadolig y gwisgai grys o'r fath, crys a chanddo goler tyn, a'r tei streips yn ei wneud yn dynnach fyth, felly chafodd e ddim cyfle i gyfarwyddo. Ond doedd dim angen i mi boeni. Rhieni Mam oedd Mam-gu a Dad-cu ac roedd rhaid i Dad fihafio, doed a ddêl. Cadwai'n dawel. Nid y tu mewn, wrth gwrs. Y tu mewn i'w ben, roedd yr olwynion bach yn troi, *dwc-dwc-dwc-dwc*, yr un peth â pheiriant golchi, am mai dyna oedd ei waith a dyna lle'r roedd ei feddwl o hyd, dan gronglwyd Spick 'n' Span, Laundry and Dry Cleaners, yn ôl yng Nghaerdydd, yn troi gyda'r dillad brwnt.

'Dim tri gŵr,' dwedais i wrth Mam. 'Dyn, menyw a bachgen.' Ond roedd hynny'n drindod o fath. Y Tad, y Fam a'r Mab. Yr Endaf, y Glenys a'r Tomos Glyn.

A mynd ar y trên am ei bod yn gas gan Dad yrru car ar y draffordd. Collai'i amynedd gyda'r gyrwyr eraill. Collai'i dymer wedyn a mynd i weiddi. Roedd yn well gan bawb, felly, ein bod ni'n trafaelu'n hamddenol braf yng ngofal rhywun arall, anweledig, heb fecso bod Dad am ddifetha'r Nadolig cyn iddo ddechrau. Roedd yn fwy o antur hefyd, mynd i lawr yng ngorsaf fach Arberth a gweld car Dad-cu'n aros amdanom, a gwybod mai fe oedd y dyn pennaf nawr ac na feiddiai Dad dynnu'n groes.

Ac wedi cyrraedd fferm Pen Llwyn, a helpu Dad-cu i garthu'r beudy a chario bwyd i'r ieir, gallwn i gredu am sbel mai dim ond preseb a bugail oedd eu hangen a byddwn i gystal â'r Gwaredwr Ei Hun, am mai mab oedd hwnnw, ac ŵyr hefyd, mae'n rhaid, er nad oes dim sôn am dad-cu yn y Beibl. Cadwai Dad o'r ffordd, yr un peth â Duw. Tynnodd ar ei goler. Cywirodd ei dei. Ond golchodd y llestri ar ôl cinio wedyn, rhywbeth na fyddai byth yn ei wneud gartref. Efallai am fod y peiriant yn ei ben yn dal i droi, *dwc-dwc-dwc-dwc*, yn chwilio am rywbeth i'w olchi, rhyw faw i fynd i'r afael ag e a'i garthu o'r byd.

'Nadolig llawen i ti, Tomos bach,' meddai Mam-gu, ac estyn bocsaid o greons i mi.

'Be' ti'n gweud, Tomos?'

'Diolch, Mam-gu. Diolch, Dad-cu.'

Yna, dridiau'n ddiweddarach, 'Pen-blwydd hapus, Tomos.' A neb yn meddwl bod tridiau'n rhy hir i aros am y papur.

'Be' ti'n gweud, Tomos? Be' ti'n gweud?'

'Diolch, Dad-cu. Diolch, Mam-gu.'

'Saith mlwydd oed heddi,' meddai Mam-gu.

'Saith mlwydd oed,' meddai Dad-cu, a nodio'i ben. 'A'i wallt e'n felyn o hyd.'

'Cyn felyned â'r aur,' meddai Mam-gu.

Es i at y ford a thynnu llun o'r goeden Nadolig, fel hyn.

Yna sgrifennais fy enw ar waelod y papur.

Tomos Glyn
Rowlands.
7 miwydd oed

A gwnes i hynny gyda'r creon coch, achos roeddwn i wedi blino ar y gwyrdd i gyd, wrth dynnu llun o'r goeden. Ond dyna fe. Pobl ddarbodus oedd Mam-gu a Dad-cu a'r addurniadau'n brin, a'r lliwiau hefyd, ar y goeden ac yn y tŷ fel ei gilydd. A doeddwn i ddim yn gwybod, yr adeg honno, bod llun yn cael bod yn wahanol i'r peth ei hunan.

Dryll bach arian mewn holster ges i gan Mam a Dad, ac yna, ar fy mhen-blwydd, mwgwd Lone Ranger i'w roi am fy llygaid. Pan ddaethon ni'n ôl i Gaerdydd, rhois y dryll dan fy ngwely. Yna, gan ofni nad oedd hwnnw'n lle saff, oherwydd y tywyllwch a'r llaw anweledig oedd yn byw yno ac yn dwyn pethau, fe'i cuddiais o dan y gobennydd. Gwisgais y mwgwd wedyn ac edrych yn y drych. Cefais fraw. Gwnes hynny sawl gwaith, ei wisgo a'i dynnu, a rhyfeddu at ddieithrwch fy wyneb fy hun. Yn y diwedd, cefais bleser o'r union fraw hwnnw, ac o feddwl am y braw y gallwn ei godi ar eraill. Fe'i rhois yn y drâr wedyn, o dan y macynon.

Ac efallai mai'r flwyddyn honno, ar ôl i ni ddod adref, y clywais i stori Dad am y tro cyntaf. Roedd ffrindiau wedi galw heibio i ddathlu'r Calan a chefais aros i lawr i gyfri'r clychau ar y teledu. Nid hon oedd ei unig stori, wrth reswm, ond dyma'r stori yr hoffai ei hadrodd yr amser yna o'r flwyddyn, pan fyddai pobl ddieithr yn y tŷ. Dyma'r stori a glywais i droeon wedyn yn y *launderette* neu yn y tafarn, a'r cwrw'n llifo, a rhywun yn pwyso arno: 'Gwed wrth Cerys ambwyti … Gwed wrth Sam …' Byddai Mam yn amenio bob tro, yn falch o weld Dad mewn hwyliau da. Ac yntau weithiau'n esgus nad oedd e'n cofio'n iawn. 'Blynydde'n ôl o'dd hynny, achan. Sa i'n siŵr galla i …' Tipyn mwy o gocso wedyn. 'O, dere 'mlaen, Daf, paid bod yn shei.' A byddai Dad yn ei elfen, ei lais mawr yn diasbedain uwchben y gwydrau, ei ddwylo'n tynnu lluniau yn yr awyr, ei lygaid yn hoelio pob un yn ei dro, a phawb yn cael eu rhwydo ynghyd, yn gwmni clòs, cytûn.

Ond os mai'r flwyddyn honno y clywais i'r stori am y tro

cyntaf, dim ond rhan fach ohoni y byddwn i wedi'i deall. Magu ystyr wnaeth hi, o flwyddyn i flwyddyn, wrth i mi dyfu'n hŷn, ac wrth i Dad ychwanegu elfennau newydd ati. Ar gais y lleill y gwnâi hynny, i ddechrau. Byddai rhywun yn mynegi amheuaeth ynglŷn â rhyw fanylyn bach. 'Smo ti'n dishgwl i ni gredu 'ny, Daf, wyt ti?' A byddai'n gorfod ymhelaethu, fel petai'n cyflwyno tystiolaeth mewn llys barn. 'Fel hyn o'dd hi, fel hyn …' Ond rhyw grwydro'n naturiol wnâi Dad fel arfer, a'r atgofion yn mynd a dod gyda hynt y blynyddoedd, eu llanw a'u trai. 'Peint bach arall, Daf?' Roedd hynny'n ddigon i gynnal y llif am awr arall, a'r cerrynt yn newid ei gyfeiriad ychydig bach bob tro.

'A dyma'r dyn 'ma'n dod miwn,' meddai Dad, gan godi'i law. Saib bach wedyn. Cip sydyn ar bawb, i wneud yn siŵr eu bod nhw'n gwrando. 'Dim ond crwt o'n i'r adeg 'ny, chi'n dyall. Yn dechre helpu mas. Yn dysgu shwt o'dd pethe'n gweithio. Gwneud y *service washes*. Cymeryd y dillad o'dd i ga'l 'u drei-clîno, sgrifennu'r enw yn y llyfr, rhoi'r ticed i'r cwsmer. Pethach fel 'ny. Dysgu 'nghrefft. Gweitho i Jim Edwards o'n i'r adeg 'ny, cofiwch. Cyn i fi brynu'r siop.'

A byddai rhai yn nodio'u pennau, wrth ddwyn yr enw hwnnw i gof.

'Ta beth, da'th y dyn 'ma miwn. Dyn mawr tal, a glasys 'da fe. Da'th e miwn a dodi cot ar y cownter. *Camel coat* fowr, dwy res o fotymau, fan hyn a fan hyn.'

A dyma'r tro cyntaf i mi ddysgu fod yna'r fath beth â chot camel. Doedd y ddau air erioed wedi cael eu cyplysu o'r blaen. Roeddwn i'n meddwl, y tro cyntaf hwnnw, efallai fod y syrcas wedi dod i'r dre ac mai cot camel iawn roedd Dad yn gorfod rhoi golchad iddi, i gael yr anifail i edrych yn ddeche o flaen ei gyhoedd. Gwnes lun yn fy meddwl o'r camel a llun arall o rywbeth oedd yn debycach i garthen na chot, a gwnes ddau dwll ynddi, ar gyfer y ddau grwbi, a meddwl, Ie, dyna fe, dyna pam mae 'na ddwy res o fotymau, i gau'r ddau dwll 'na, pan fydd hi'n bwrw glaw.

Ond aeth i hôl ei got ei hunan wedyn.

'Dyma hi.' Ac fe welais i'r ddwy res o fotymau, a dim tyllau o gwbl.

'Roiodd e siglad idd' 'i lasys e, fel hyn,' meddai Dad. A gwnaeth yr un peth ei hunan, neu esgus gwneud yr un peth, oherwydd doedd dim sbectol gan Dad, ddim yr adeg honno. 'Roiodd e siglad idd' 'i sbecs e a wedodd e, "Sa i'n gwybod ble mae'r un bach. Chi ddim wedi'i weld e, y'ch chi? Mae coesau bach blewog 'da fe. Smo fe'n cwato yn un o'r *tumblers* 'ma, ody e?"'

Ac aeth pawb i chwerthin, a gwneud lluniau yn eu meddyliau o'r ddau ddyn od, y naill yn chwilio am y llall yn *launderette* Dad, y dyn glasys a'r dyn coesau blewog.

A phan ddwedodd Dad bod y got yn perthyn, nid i gamel ond i Eric Morecambe, doedd hynny'n golygu dim i mi. Doedd e'n golygu dim chwaith pan ddwedodd e na ddaeth Eric Morecambe byth yn ôl i gasglu ei got, oherwydd iddo gael ei daro'n wael. Ond aeth pawb yn dawel am sbel a nodio'u pennau. A bues i'n meddwl, Wel, mae'r Eric Morecambe 'ma'n swnio'n ddyn pwysig, pwy bynnag yw e. Ac mae hon yn got sbesial. Os nad oedd hi'n *perthyn* i gamel, efallai ei bod hi wedi cael ei gwneud *allan* o gamel.

'Ife wedi'i gwneud mas o gamel oedd y got, Dad? Ife 'na pam maen nhw'n ei galw hi'n *camel coat*, achos bod hi wedi cael ei gwneud mas o groen camel?'

Ac roedd pawb yn falch o gael chwerthin eto, ar ôl bod yn dawel ac yn drist am sbel.

'Ie, Tomos bach. Croen camel oedd hi. O'r ffarm gamels lawr yr hewl.' Cydiodd Dad yng ngholer y got a phwyntio'i fys at y label. 'Ti'n gweld, fan hyn?'

Darllenais yr enw. 'Fi-li-ppo Io-zzi-no.'

''Na ti. Iozzino. Dyn mawr gyda'r camels oedd Filippo Iozzino. Iozzi bydden ni'n ei alw fe. Iozzi'r ffarmwr camels. Jyst lawr yr hewl.'

Es i'n ôl i'r ysgol. Aeth Dad yn ôl i'w waith. Llenwid y tŷ unwaith yn rhagor gan aroglau melys y cemegau glanhau. Tynnais lun arall, fel hyn.

Pen Llwyn

'Tŷ Mam-gu,' dwedais i, a rhoi'r llun i Mam.

'Da iawn, Tomos,' dwedodd hithau. 'Ti wedi cael y ffenestri jyst fel maen nhw. A'r enw, hefyd. Pen Llwyn. Mae hwnna'n berffaith 'da ti. Pob llythyren.'

Dwedodd hyn, rwy'n credu, gyda mwy o falchder nag o syndod. Roeddwn i'n dda am fy oedran. Gallwn i gadw'r llinellau'n syth. Gallwn i roi cynnig go lew ar ddefnyddio persbectif. A doedd y lliwiau ddim yn goferu rhwng un peth a'r llall. Melyn i'r ffenestri. Brown i'r to. Pinc i'r waliau. A'r awyr yn las i gyd, heblaw am un cwmwl bach. 'Da iawn, wir,' meddai Mam. 'Wyt ti'n mynd i roi Mam-gu i mewn? A Dad-cu?'

Ysgydwais fy mhen. 'Maen nhw 'na,' dwedais i. 'Tu fewn. Ti'n ffaelu'u gweld nhw, ond maen nhw 'na.'

'Yn y gegin, ife?'

'Ie, yn y gegin. Maen nhw'n cael te yn y gegin. Lle mae'r golau ymlaen. Ti'n ffaelu'u gweld nhw ond ti'n gallu'u clywed nhw os wyt ti'n mynd fel hyn.' Plygais i lawr a gosod fy nghlust ryw fodfedd uwchben y llun. 'Fel hyn. Galla i glywed llais Mam-gu nawr.'

''Na fe, 'te,' meddai Mam. Roedd hi'n gwybod yn iawn taw dim ond esgus oeddwn i, i guddio'r ffaith fy mod i'n methu gwneud pobl, ond ddwedodd hi ddim byd. Edrychodd ar y llun eto. 'Dylet ti fod yn bensaer, ar ôl i ti dyfu lan.'

'Beth yw pensaer?'

'Mae pensaer yn tynnu llun o dŷ, yr un peth â ti. Ac mae pobl yn mynd ati i godi'r tŷ wedyn. Maen nhw'n edrych ar y llun ac wedyn maen nhw'n cael y brics a'r pren a'r gwydr a'r pethe erill ac maen nhw'n codi'r tŷ, yn gywir fel rwyt ti wedi'i wneud e yn y llun.'

'Tŷ fel hwn?'

'Unrhyw dŷ ti moyn.'

'A sdim rhaid i fi roi pobl miwn?'

'Nac oes, bach. Dim ond y tŷ. Wedi 'ny mae'r bobl yn symud miwn. Dyw hwnna ddim byd i 'neud â'r pensaer. Dim ond tynnu llun o'r tŷ mae'r pensaer yn 'neud.'

Cafodd y llun ei binio i ddrws y cwpwrdd yn y gegin, gyda'r lleill. Ac fe wnes i'n siŵr bod Mam yn ei roi e'n ddigon isel fel y gallwn i roi fy nghlust yn sownd wrtho pryd bynnag y dymunwn. Yna, pan âi pethau'n drech arna i fan hyn, yn ein cegin ni, gallwn i wrando ar Dad-cu a Mam-gu yn siarad yn eu cegin hwythau, ym Mhen Llwyn, draw ar bwys Arberth, a gwybod nad oedd eisiau becso.

2

1981

'Tyn dy sbecs.'

Gofynnodd Dad i Mam dynnu ei sbectol cyn rhoi clatsien iddi. Roeddwn i'n meddwl ar y pryd mai peth ystyriol oedd hynny. Nid oedd Dad am wneud niwed diangen i'w wraig. Roedd y gosb a weinyddid ganddo'r noswaith honno wedi cael ei mesur a'i dogni'n ofalus fel y byddai'n gweddu i'r drosedd a gyflawnwyd. Byddai tynnu gwaed (neu ddallu, hyd yn oed) wedi mynd y tu hwnt i ofynion cyfiawnder. Yn waeth na hynny, byddai wedi bod yn arwydd o esgeulustod. Peth ystyriol, felly, oedd gofyn iddi dynnu ei sbectol. Profai hefyd nad ar fympwy nac ym mhoethder ei lid y gweithredai. Roedd ei lais yn ategu hynny: yn gadarn ond yn bwyllog. 'Gwnaf yr hyn y mae angen ei wneud, dim mwy, dim llai.' Dyna'r neges ddyfnach yr oedd ei ychydig eiriau yn ei chyfleu.

Ystyriol, felly. Ond nid trugarog. Na, byddai trugaredd yn awgrymu bod y gosb rywfaint yn llai na'r hyn a oedd yn ddyledus ac ni wnâi hynny mo'r tro. Beth oedd diben cosb os nad oedd yn gydradd â'r drosedd?

'Glasys wedes i. Tyn dy lasys.'

Rhwng ei wefusau. Mwy na sibrwd, ond llai na'r gorchymyn arferol, gorchymyn lliw dydd. Safodd Mam yn ei hunfan, heb symud, gan obeithio efallai y byddai gwrthod cydweithredu yn ei diogelu rywsut. Efallai iddi feddwl, Wel, os sefa i fan hyn am funud, siawns na fydd ei dymer yn cilio ychydig; caiff fynd i bwdu am sbel, a bydd hi'n amser cinio wedyn. Roedd hynny wedi digwydd o'r blaen, o bosibl, unwaith neu ddwy, draw ar benrhyn rhyw amser pell.

'Iawn. Dy ddewis di.'

Ac nid ystyriol chwaith, erbyn meddwl. Chwaer trugaredd yw bod yn ystyriol. Mae'n awgrymu rhyw ddiffyg unplygrwydd ar ran y sawl sy'n gweithredu'r gyfraith. Mae'n rhoi'r argraff mai er cyfleuster y troseddwr y mae'r gyfraith i gael ei llunio a'i gweinyddu. Peth llipa, diruddin yw trefn o'r fath. Nid ystyriol, felly, ond cywir. Roedd Dad yn gywir. Ac yn ddarbodus, wrth gwrs. Doedd y sbectol ddim wedi pechu neb a pheth anghyfrifol, gwastraffus fyddai difrodi sbectol ar gownt ei pherchennog.

'Dy ddewis di.'

Rhwng ei wefusau eto. Doedd dim amdani wedyn ond tynnu'r sbectol ei hunan. Yn gyntaf, gan ddefnyddio ei law chwith, fe gydiodd yng ngholer ei blows. Nid oedd hynny'n rhan o'r gosb: ddim fel y cyfryw. Ei fwriad oedd sicrhau na allai Mam symud ei phen o'r ffordd pan ddôi'r glatsien. Yna, â'i law arall, fe gydiodd yn un o freichiau'r sbectol a'i chodi oddi ar ei chlust. Byddai wedi bod yn haws, wrth gwrs, petai ei law chwith yn rhydd fel y gallai godi dwy fraich y sbectol yr un pryd, ond doedd hynny ddim yn bosibl. Rhaid dal ei afael ar y coler; rhaid sadio'r pen. Er hynny, roedd Mam wedi dechrau gwingo, hynny a allai, nid am ei bod hi'n gobeithio dianc o'i afael, ond am mai dyna roedd greddf yn ei gorfodi i'w wneud. Ymbalfalodd Dad a gwthio bawd i'w llygad. Gwaeddodd Mam. Un waedd fach. Llithrodd ei thraed tua'r ochr. Sŵn *dwmp*. A'i draed yntau'n dilyn. *Dwmp* arall. Ond yn drymach.

'Wedes i, on'd do?'

Ond menyw fach denau oedd Mam, ac os nad oedd Dad yn fawr, yr oedd yn benderfynol. Fe gafodd ei ffordd. Rhoddodd y sbectol ar y bwrdd wrth ei ochr. Gwnaeth hynny â'r gofal priodol. Byddai bywyd yn ailgychwyn ymhen ychydig oriau a doedd dim angen rhwystro'r ffordd tuag at yr adferiad hwnnw. Agorodd gledr ei law a'i thynnu'n ôl, dim ond digon i sicrhau rhyw fesur o fôn braich: nid slap oedd ei angen, ac eto nid dyrnod chwaith. Anelodd am yr arlais. Ond er gwaethaf y gafael tyn ar ei choler, llwyddodd Mam i godi ei phen fodfedd neu ddwy. O ganlyniad, nid ei harlais a drawyd ond yn hytrach ei boch a'i llygad. Gwaeddodd. Dim ond gwaedd fach eto.

A mwy o wich nag o waedd. Sŵn syndod ac ofn, efallai, yn hytrach na phoen. Ac efallai i Dad ddifaru gwneud hynny. Doedd clatsio'r llygad ddim yn rhan o'i fwriad. Yn bendant, fe deimlai'n grac ag ef ei hun. Bu'n esgeulus. Ond fe ddigiodd wrth Mam hefyd. Hi oedd yn gyfrifol am yr helynt i gyd, wedi'r cyfan, ac roedd angen iddi arfer hunanddisgyblaeth.

'Sa'n llonydd, 'nei di.'

Ceisiodd Dad gywiro'i gamgymeriad. Cydiodd yn dynnach yn y coler. Tynnodd ben Mam tuag ato a thaflu ergyd arall. Y tro hwn, anelodd yn gywir. Clywais y sŵn priodol: llaw yn bwrw asgwrn. Gwich fach arall.

Unionwyd y cam.

Wedi'i fodloni, cerddodd Dad o'r stafell. Beth wnaeth Mam? Alla i ddim dweud. Nid gweld y pethau hyn wnes i, dim ond eu clywed a dychmygu'r hyn a guddiai y tu ôl i'r synau. Ond rwy'n hen law ar ddehongli synau. Bu'r ddawn honno gen i erioed – mor bell yn ôl â'r groth, am wn i – ac fe glywn ar unwaith y gwahaniaeth rhwng llaw yn taro bwrdd a llaw yn taro wyneb. Gallwn wahaniaethu, hyd yn oed, rhwng llaw ar foch a llaw ar arlais, y naill yn debycach i bapur yn rhwygo, y llall fel sachaid o dywod yn cwympo ar y pafin y tu allan pan fyddai dynion yn gweithio ar yr hewl. A dichon mai dyna pam roedd Mam yn ceisio cadw'n dawel, fel na fyddai'n codi ofn ar ei mab bach naw mlwydd oed oedd yn cysgu yn y stafell nesaf. Dim gweiddi. Dim llefain. Dim ond gwich fach, a hynny ar ei gwaethaf. A Dad hefyd. Doedd yntau ddim am ddihuno'i fab chwaith a thynnu sylw at bethau preifat rhwng gŵr a gwraig nad oedd gan grwt fel fi ddim hawl i ymhél â nhw. Dim ond tri gair ar y tro, felly, rhwng y gwefusau, a mwy o boer nag o lais.

Ond sut mae cadw boch yn dawel? Ac arlais? Tafod bach pitw sydd gan asgwrn. Llai fyth yw tafod cnawd. Ond hyd yn oed trwy'r wal roedd fy nghlustiau ifainc yn clywed y ddau ac yn deall eu llediaith.

Ddiwedd y prynhawn, a minnau'n eistedd yn y gegin, yn tynnu llun o'r ysgol, daeth Dad â bwnsiaid o flodau i Mam. Safodd yn y pasej a galw ei henw. 'Glenys …?' A gadael y marc cwestiwn yna'n hongian yn yr awyr. Saib bach wedyn. Gwnaeth Mam ychydig o gymoni o gwmpas y bwrdd. Ac eto, 'Glenys.' Yn uwch. Yn fwy pendant. Gyda llai o gwestiwn yn ei gwt. Aeth hithau allan i'r pasej. 'Mm,' meddai, ddim un ffordd na'r llall. 'Y stafell ffrynt, rwy'n credu.' Dyna i gyd. Er mwyn dweud rhywbeth a chan nad oedd hi eto'n barod i gymodi. Daeth â'r blodau i'r gegin i dorri'r coesau a'u rhoi mewn dŵr. Dim ond cennin Pedr oedden nhw, ond efallai mai dyna i gyd oedd ar gael, yr amser yna o'r flwyddyn, yn y Spar bach rownd y cornel. Daeth Dad i'r gegin a pheswch a gwneud sioe o ddarllen y papur. Aeth Mam â'r blodau i'r stafell ffrynt.

'Fi wedi gwneud llun,' dwedais i, i lenwi'r bwlch. 'Llun o'r ysgol.'

Edrychodd Dad ar y llun. 'Wyt ti'n meddwl rhoi pobl miwn?' Ac efallai ei fod yntau hefyd yn falch o'r cyfle i lenwi bwlch.

Clywais sŵn traed Mam lan llofft a dwedais yn fy mhen, 'Der 'nôl, Mam. Der 'nôl nawr.' Yna clonc y pibau dŵr.

Roedd hi'n llenwi'r bàth. Ac roedd hynny'n beth anarferol iawn i'w wneud am chwech o'r gloch brynhawn dydd Llun. Ac fe es i'n grac gyda hi am fy ngadael yn y gegin, yn gorfod siarad â Dad a thynnu llun o athrawon a phlant, dim ond i'w blesio. Fe es i'n grac gyda mi fy hun wedyn am nad oeddwn i eto wedi dysgu tynnu lluniau o bobl. Gallwn i wneud Smurfs yn eitha da am fod gen i dri o'r modelau wrth law. Ond dim ond yn yr ysgol y gallwn i weld Mrs Price a Mr Rogers yn iawn. Fan hyn, yn y gegin, yn fy mhen, roedden nhw'n pallu aros yn llonydd yn ddigon hir i mi gael eu copïo nhw. Yn waeth na hynny, roedd Dad yn sefyll y tu ôl i mi, yn esgus darllen ei bapur, yn gofyn, 'Shwt mae'n dod, 'te? Ydw i'n cael edrych eto?' A gwnes i nhw ar ormod o frys, ac roedd ysgwyddau Mr Rogers yn llawer rhy fawr, a doedd dim digon o le i'r coesau. Ac yn y diwedd roedden nhw'n edrych yn debycach i Smurfs nag i ddim byd arall.

Ni fu rhagor o sôn am y blodau. Ond roedd eu gweld nhw'n sefyll yno, ar sil y ffenest, yn cadw'r cof yn fyw am ychydig ddyddiau, ac yn cadw Dad yn dawel. Dim ond y *dwc-dwc-dwc-dwc* yn ei ben y gallwn ei glywed, yr un peth ag erioed, fel peiriant golchi'n chwipio'r dillad brwnt i gyd.

Trodd cleisiau Mam yn ddu, yna'n felyn. Aeth hi ddim allan am wythnos. Es innau i wneud y siopa drosti, ar ôl i mi ddod adref o'r ysgol. A bu'n rhaid i mi ddweud wrth bobl bod meigryn gwael arni. Pan aeth allan wedyn, gwisgai sbectol haul ac esgus bod y golau'n gwneud dolur i'w llygaid. Cyn i'r blodau wywo roedd Dad yn achwyn am y poen yn ei gefn. Ac fe glywais i hwnna hefyd. Sŵn asgwrn yn conan.

3

Mae popeth yn gwneud sŵn, pethau mawr a phethau bach fel ei gilydd. Ac am wn i mae modd clywed pob sŵn, hyd yn oed y synau lleiaf oll, cyhyd â bod gennych glust ddigon main a'r ddawn i'w defnyddio. Pluen eira yn cwympo ar garreg. Gwybedyn yn cylchu yn yr awyr. Tafod y gwybedyn hwnnw'n llio'i wefusau. Mae gan bob peth ei briod sŵn ei hun. Pa fath o sŵn sydd gan dafod gwybedyn, tybed? Cras neu feddal? Sych neu wlyb? Ac efallai na ddylid dweud ei fod yn fach, chwaith, oherwydd peth cymharol yw mawr a bach, lle mae synau yn y cwestiwn. A phetai rhyw greadur llawer llai na'r gwybedyn yn digwydd bod yn sefyll wrth law, ar ôl i'r anghenfil hwnnw gwpla'i ginio, dichon y byddai sŵn y cyfryw dafod yn boenus o uchel. Alla i ddim dweud. Dwi ddim yn hyddysg mewn materion o'r fath. Ond mae'n gwneud synnwyr.

I'r babi yn y groth, meddan nhw, mae corff y fam mor fyddarol swnllyd â ffowndri haearn. Rhwng dadwrdd ei chalon a ffrydio'i gwaed a bwrlwm ei hymysgaroedd a diasbedain ei llais trwy'r cyfan (a'i chwyrnu wedyn, gyda'r nos), prin bod y bychan yn cael eiliad o dawelwch. Ac os felly, onid yw'r un peth yn wir am ffetws y gwybedyn, a chalon ei fam yntau'n ymdaro yn ei glustiau?

A dim ond y dechrau yw hynny oherwydd, y tu hwnt i gaethiwed y groth, y mae byd arall o synau yn galw am sylw'r cyn-anedig: byd siarad a gweiddi, canu a llefain, taro a chwalu a thasgu. Dwi ddim yn dadlau na fyddai croen bola Mam yn teneuo'r synau hynny rywfaint, fel bod y babi fel petai'n gwrando ar leisiau o'r stafell nesaf, a hynny'n beth digon anodd ei wneud o ganol ei ffowndri haearn. Rhaid iddo foeli'i glustiau er mwyn dilyn synau'r byd hwnnw. Ni ddeallai eiriau unigol, wrth gwrs, ond siawns na allai synhwyro grym eu llif, a barnu wedyn i ba gyfeiriad yr oedd y llif yn mynd: tua'r dyfroedd tawel, ynteu tua'r trobwll gwyllt. Siawns na wingai wrth glywed cyfarth ci. Cyfarth dyn hefyd.

Dyna mae clustiau pob ffetws yn ei wneud, does dim amheuaeth gen i: gwrando a rhyfeddu. Arswydo hefyd, weithiau. Dim ond bod y rhan fwyaf yn anghofio wedyn. Gwewyr y geni sy'n mygu'r cwbl. Y gwasgu. Y tynnu. Y gwthio hir, arteithiol tua'r goleuni. Ond eithriad ydw i yn hynny o beth. Cefais fy ngwaredu rhag yr artaith. Cofiaf y dwndwr i gyd.

Dwedodd Mam wrth Mam-gu bod un crwt bach penfelyn yn ddigon iddi. A ta beth, doedd hi ddim eisiau mynd trwy hwnna eto. Fel dyn yn golchi llestri yn ei bola, meddai. Fel dwylo'n mynd *slwtsh, slwtsh* y tu mewn iddi. Ac fe glywais hwnna hefyd. Ond y gyllell ddaeth gyntaf. Cyllell Cesar yn rhwygo'r croen a gadael y golau i mewn, fel llenni'n agor. Wedyn daeth y *slwtsh, slwtsh*, wrth i mi gael fy nhynnu o'r dŵr a'r gwaed. 'Sa i'n mynd trwy hwnna eto,' meddai Mam, ddim achos y poen ond achos y sŵn. Sŵn dwylo dyn yn golchi llestri yn ei bola.

Cyn i mi gael fy ngeni, roedd fy llaw dde yn cwpanu fy nghlust. Dyna beth ddwedodd Mam. Fe welodd hi'r peth ar y sgan, meddai. Gofynnodd i'r nyrs pam nad oedd hi'n gallu gweld y pen cyfan, ac roedd hi'n gofidio bod rhywbeth yn bod ar y fraich, o gael ei throi yn y modd anghyffredin hwnnw. Ond dyna pam: roedd y llaw yn cwpanu'r glust.

'Ga i weld?' meddwn innau.

Ond doedd gan Mam ddim copi. Doedd ysbytai ddim yn rhoi sganiau i ddarpar famau yn y dyddiau hynny. Dwi ddim wedi gwneud ymholiadau pellach ond fe wna i rywdro. Rwy'n deall bod hynny'n bosibl bellach: cael hyd i'r wybodaeth amdanoch yn ffeils y Gwasanaeth Iechyd. Ac efallai mai Mam fydd yn gorfod gwneud y cais, oherwydd ei henw hi sydd yn eu system, dybiwn i. Doedd gen i ddim enw'r adeg honno. Er y gallwn i glywed yn iawn, a phwyso a mesur ystyr yr hyn a glywn, doeddwn i ddim eto'n bod.

Ac rwy'n dweud hyn i gyd am un rheswm syml. Dwi ddim yn credu mai cwpanu fy nghlust oeddwn i y diwrnod hwnnw, pan dynnwyd fy llun. Ffansi Mam oedd busnes y cwpanu. Roedd hi am gredu bod ei mab cyntaf yn wahanol i fabis eraill, a'u dwylo dros bob man. 'Crwtyn bach ciwt.' Dyna ddwedodd hi, siŵr o fod, wrth ei ffrindiau. Wrth ei gŵr hefyd, o bosibl, yn y dyddiau hynny. 'Crwtyn bach disglair hefyd. Weli di'r llaw yn cwpanu'r glust, yn trial clywed beth sy'n mynd ymlaen?'

Erbyn hyn rwy'n gwybod mai rhoi llaw dros fy nghlust oeddwn i, nid ei chwpanu. Ceisio clywed llai, nid mwy. Roeddwn i eisoes wedi clywed gormod. Fel y dwedais i gynnau, bu'r ddawn gen i erioed. Er pan oeddwn i yn y groth. Er pan oeddwn i'n ddim o beth. Ac efallai mai dyna pam y cefais fy nhorri allan, oherwydd rwy'n amau a fyddwn i wedi mentro fel arall.

4

Ydy, mae'r babi yn y groth yn clywed y byd y tu allan. Dawn gyffredin yw honno. Mae'r ddawn sydd gen i yn gweithio'r ffordd arall hefyd. Dyna sut roeddwn i'n gallu clywed cefn Dad: sŵn yr asgwrn yn pydru, briwsion bach o'i gorff yn torri'n rhydd. Fel haearn yn rhydu, a'r rhwd yn crensian ei ddannedd.

Ambell waith, wrth eistedd yn ei gadair esmwyth a gwylio'r teledu, byddai Dad yn rhoi siglad sydyn i'w goes dde. Y tro cyntaf iddo wneud hynny, roedd yn gwylio pêl-droed a bues i'n meddwl, Duw, Duw, mae'n trial cico'r bêl, yr un peth â John Toshack (neu Alan Hansen, neu pwy bynnag oedd yn digwydd bod yn chwarae ar y pryd). Des i i'r casgliad mai rhyw fath o ymateb nerfol, greddfol oedd hyn, a synnu nad oedd e wedi amlygu'r duedd honno ynghynt. Ond gwnaeth yr un peth ar ganol *Antiques Roadshow*. Syllais arno. Syllodd Mam. 'Y gwaed,' meddai Dad, a rhoi siglad arall. 'Cael y gwaed i shifftio.' Weithiau, ar ôl y siglo, byddai'n codi'r goes i'r awyr a'i phlygu, yn ôl ac ymlaen, fel handlen pwmp. 'Ffaelu teimlo dim byd.' Yna, ymhen amser, gwnâi'r un peth â'r goes chwith. 'Dim byd.'

Dro arall, dwedodd fod gwynt oer yn chwythu yn ei wyneb a'm danfon allan i gau'r drws ffrynt a dweud y drefn wrtha i am fod mor esgeulus. Ond roedd y drws wedi'i gau yn barod ac roedd y gwres canolog ymlaen yn llawn, er ei bod yn ganol haf. 'Mae e wedi'i gau,' dwedais i. Gwrthododd fy nghredu. Cododd ar ei draed a mynd i weld drosto'i hun. Aeth i'r gegin hefyd, a'r stafell gefn, a'r stafelloedd gwely, i chwilio am darddiad y gwynt. Agorodd bob ffenest yn ei thro a'i chau drachefn. Safai am sbel wedyn a dodi clust wrth y gwydr, i geisio canfod awel. Clywais hyn i gyd wrth eistedd yn y lolfa. *Clec-clec* yr agor a'r cau. Y traed yn symud. Y traed yn stopio symud.

Daeth yn ôl i'r lolfa a thynnu'i fysedd ar hyd fframyn y drws. 'Drafft uffernol,' meddai, ac ochneidio am fod y poen yn ei gefn yn dechrau pigo. Ac roeddwn i'n falch nad oedd Mam gartref y noswaith honno – noswaith gyntaf y gwynt ar yr wyneb – oherwydd rwy'n siŵr y byddai hi wedi talu'n ddrud am ei hesgeulustod.

Y dydd Sul canlynol, rhoddodd Dad stribedi rwber o gwmpas y ffenestri a'r drysau i gyd. Bu wrthi trwy'r prynhawn. Eisteddodd i lawr wedyn, i gael ei de, i fwynhau'r awyr gynnes, lonydd. Ac os oedd e'n dal i deimlo'n oer, ni ddwedodd yr un gair. Efallai na chyfaddefodd iddo ef ei hun mai o'r tu mewn y chwythai'r awelon main.

5

Bob bore Sadwrn, ar ôl i mi gyrraedd fy mhedair ar ddeg, byddwn i'n mynd i'r *launderette* i wneud dwy awr o waith. Seiclo wnawn i, boed law neu hindda, gan ddefnyddio'r beic roeddwn i wedi'i gael ar fy mhen-blwydd. Hen Raleigh Gran Sport ail law oedd hwn, ac roedd fy ffrindiau'n chwerthin am ben yr enw, ac yn holi beth roedd Mam-gu yn ei wneud heb ei beic. Ond roedd ganddo ddeg gêr, a gallwn i fynd a dod fel y dymunwn. Cawn flas ar fy rhyddid newydd.

Dim ond gorchwylion elfennol a ymddiriedwyd i mi yn y *launderette*. Ni chefais fynd yn agos at y *perchloroethylene*. Yn wir, dwi ddim yn credu i mi wneud unrhyw gyfraniad o bwys i'r busnes trwy gydol y Sadyrnau hyn. Ond doedd dim gwahaniaeth am hynny. I Dad, yr egwyddor oedd yn bwysig. Credai y dylai crwt fel fi wneud twrn da o waith am ei arian poced. Tra gweithiai yntau yn y cefn, felly, lle'r oedd y peiriannau sychlanhau a'r cemegau peryglus, cefais innau wersi gan Jill Seymour, ei gynorthwyydd, ar sut i ddidoli dillad y *service washes*. Dysgais ganddi ystyr y cyfarwyddiadau ar y labeli. Dysgais am natur a gofynion y cotwm a'r sidan a'r gwlân a'r *rayon* a'r defnyddiau eraill. Dysgais sut i adnabod y pethau cain a bregus a'u tynnu allan i gael sylw gan rywun mwy cyfrifol. Dim ond y llwythi symlaf a roddwyd i mi i'w golchi – dillad rygbi a phêl-droed, yn bennaf – a hynny i gyd dan oruchwyliaeth ddyfal a manwl Jill.

Roedd gan Jill Seymour wallt byr, byr, yr un peth â Mia Farrow, a choesau hir, hir, ac ambell waith, wrth ddidoli'r dillad byddai ein bysedd yn cyffwrdd. Roeddwn i mewn cariad â Jill. Pan es i adre'r tro cyntaf dwedodd Mam, 'Ti'n drewi o *perc*. Yr un peth â dy dad.' Meddyliais wedyn, rhaid bod Jill Seymour yn gwynto fel 'na hefyd, a hithau'n treulio trwy'r dydd yn y lle. Er nad oedd gen i gynnig i'r gwaith ei hun, roeddwn wrth fy modd fod gennym rywbeth yn gyffredin, a pheth mor bersonol hefyd, rhywbeth oedd yn mynd adref gyda ni, yn rhannu'r gwely gyda ni.

'Sa i'n gwbod beth nelen i hebddot ti,' meddai Jill

unwaith. Ac er ei bod hi'n chwerthin wrth ddweud hynny, roedd rhan fach ohonof yn credu, petawn i'n dal ati, petawn i'n didoli'n gywir ac yn golchi'n effeithiol, y caem symud ymlaen o'r bysedd ac y byddai hithau'n cwympo mewn cariad â fi. Awn â'r gred honno gyda mi i'r gwely bob nos. Gwridwn bob bore Sadwrn wedyn wrth ddod wyneb yn wyneb â gwrthrych fy mreuddwydion.

Brynhawn dydd Sadwrn, gan amlaf, awn i chwarae pêl-droed ar y *rec*, a theimlo'n well am sbel o fod yng nghwmni bechgyn a chael rhedeg a chicio, heb orfod poeni am fysedd yn cyffwrdd, a choesau hir, a labeli dillad. Doedd gen i ddim dawn at bêl-droed ond roedd Cwpan y Byd ar ei ganol ar y pryd a dyna roedd pawb yn ei wneud: gwylio'r gemau ar y teledu a cheisio dynwared triciau'r sêr ar y cae wedyn.

Rhyw ddydd Sadwrn neu'i gilydd, ar ôl chwarae pêl-droed, daeth Terry Stephens adref gyda mi. Syniad Mam oedd gwahodd Terry i de. Roedd hi'n ystyried, efallai, mai peth normal oedd hynny: y math o gymdeithasu a oedd yn naturiol ymhlith teuluoedd gwâr. Byddai'n cadarnhau ei statws fel mam gariadus a gwraig tŷ a chymydog. Nid Terry fel y cyfryw, wrth gwrs: ni wyddai Mam enw hwnnw na neb arall o'm ffrindiau pêl-droed. 'Der â dy ffrind gorau draw.' Dyna ddwedodd hi.

A dyna wnes i. 'Mae Mam yn dweud, licet ti …?' Achos roeddwn innau'n teimlo dan bwysau hefyd, i gydymffurfio, i beidio â bod yn wahanol. Ond profiad annifyr oedd eistedd wrth fwrdd y stafell gefn ac wynebu Terry Stephens dros y glaseidiau o Coke a'r sgons a'r brechdanau caws a cheisio meddwl am bethau i'w dweud. 'Dy ffrind gorau,' meddai Mam. Ond ffrind gorau cae pêl-droed oedd Terry, ac mae cicio pêl yn wahanol i siarad a bwyta sgons a bod yn y tŷ yr un pryd â Dad.

Ac efallai nad oedd Mam wedi sôn wrth Dad bod Terry'n dod. Efallai nad oedd Dad wedi sylweddoli, pan ddaeth trwy'r drws ffrynt a mynd yn syth am y lolfa, bod dau o fechgyn yn cael te prynhawn yn y stafell nesaf. Efallai iddo anghofio. Alla i ddim dweud. Ond pan aeth Mam â'i de ato o'r gegin, a minnau'n clywed y waedd gyntaf, bues i'n gofidio am funud mai ni oedd testun y cerydd. Pa hawl oedd 'da ni i ddarfu ar ei brynhawn Sadwrn? Nag oedd Mam yn deall bod disgwyl iddi gadw dieithriaid draw ar adegau fel hyn, pan oedd e'n rhoi ei draed lan, pan oedd e'n gwrando ar yr olwynion bach yn troi yn ei ben?

Ac os mai dyna oedd ystyr y waedd, beth wedyn? A aeth hi i ymddiheuro? 'Anghofiais i ddweud. Ffrind i Tomos. Wedi bod yn whare ffwtbol. Fy mai i yw e, fy mai i.' Rhywbeth i'r perwyl hwnnw. Mae'n bosibl. Ond erbyn hyn, dwi ddim yn credu bod hynny'n debygol. Siawns y byddai Dad wedi mynd i natur pan gafodd wybod bod yna ddieithryn yn eistedd yn y stafell gefn, hyd yn oed un mor ifanc a distadl a dywedwst â Terry. Nid oedd Dad yn un i wneud sioe o'i dymer. Braint ei deulu'n unig oedd teimlo brath ei gerydd. Beth bynnag, ddaliais i ddim o'r geiriau. Gweiddi wnaeth Dad, ac roedd y waedd yn rhy uchel, yn rhy groch, ac roedd gormod o boer ynddi, a'r poer yn boddi'r ystyr. Roedd llais Mam, ar y llaw arall, yn rhy dawel. Yn wir, prin y gallwn i glywed ei llais hi. Ond fe wyddwn ei bod hi yno, oherwydd i beth fyddai Dad yn parhau i weiddi oni bai bod Mam yn dal yno, yn wrthrych ei gynddaredd?

'Gwaedd' ddwedais i. Ond byddai 'cyfarth' yn nes ati. Ac nid 'geiriau' chwaith. Un gair glywais i, a hwnnw wedi'i gyfarth yn null ci. A phwy all ddidoli cytseiniaid a llafariaid iaith ci? Hyd yn oed yr eildro, a'r trydydd, allwn i ddim bod yn sicr fy mod yn ei glywed yn iawn. Ai 'mas!' oedd y gair hwnnw? Ai 'glas'? Rhywbeth yn gorffen gydag 'as', yn sicr. Ond dwi ddim yn credu mai 'mas' oedd e, oherwydd fe arhosodd Mam yn y stafell. 'Glas', felly. Roedd hi wedi prynu rhywbeth glas yn lle'r peth coch y cytunwyd arno. Neu'r ffordd arall, wrth gwrs, coch yn lle glas. Neu 'was'? Doedd e ddim yn 'was' iddi. Roedd hynny'n bosibl hefyd. A hyn i gyd yn profi nad yw dweud pethau'n *uchel* o reidrwydd yn eu gwneud nhw'n haws i'w *dehongli*. Dyw sŵn ac ystyr ddim yr un peth.

Ac yn fwy na dim, wrth gwrs, roedd yn anodd i mi ddilyn y cyfarthiadau hyn a'u didoli'n gywir am fod angen i mi gynnal sgwrs gyda Terry yr un pryd. Yn wir, gyda'r cyfarthiad cyntaf, fe es i i siarad fel pwll y môr. Siarad am beth? Am y pethau cyntaf a ddaeth i'm meddwl. Am unrhyw beth a fyddai'n mygu llais Dad. Siaradais am Maradona a llaw Duw, am y *Mexican wave*, am dymor trychinebus tîm Caerdydd, oedd wedi disgyn i'r Bedwaredd Adran, ond o leiaf, meddwn i, heb gymryd anadl, roedd Abertawe wedi gwneud yn waeth. Dim ond codi'i ysgwyddau wnaeth Terry. Cefnogwr Manchester United oedd yntau ac roedd timau Caerdydd ac Abertawe islaw ei sylw. Cynigiais fwy o Coke iddo. 'Gordon Strachan,' dwedais i. 'Trueni nad oes rhywun fel Gordon Strachan gyda ni.' A cheisio tynnu sgwrs am hwnnw. Ond roedd Terry'n gwrando ar Dad erbyn hyn. 'Beth sy'n digwydd?' meddai, gan nodio'i ben tuag at y wal. Edrychais innau ar y wal, fel petai'r ateb wedi'i ysgrifennu yno, rhwng y streipiau. Daeth cyfarthiad arall. Es i'n goch a dechrau chwysu. Aeth pawb yn dawel wedyn, ac roedd y tawelwch hwnnw'n waeth na'r cyfarth. Dwedodd Terry fod rhaid iddo fynd adre.

'Dweda diolch. T'mod ... Wrth dy fam ... Am y te.'

'Gwnaf, gwnaf.'

Es i â Terry at y drws ffrynt. Es i ag e allan wedyn, er mwyn peidio â bod yn y tŷ. Ac ar ôl iddo fynd fe sefais wrth y gât am bum munud, yn edrych ar y ceir yn mynd heibio, yn chwennych eu rhyddid, eu holwynion chwim. Pan es i'n ôl i'r gegin, roedd Mam yn sefyll o flaen y drych, yn dabo'i llygad chwith â gwlân cotwm. Roedd ei sbectol ar y bwrdd. Doedd yr un o'r lensys wedi torri, ac roedd hynny'n dipyn o syndod. Ond roedd y fraich chwith yn gam. O ganlyniad, safai'r fraich hon ryw hanner modfedd yn uwch na'r llall, fel ci yn codi'i goes.

'Terry wedi mynd?'

Trodd ataf. Roedd y croen o gwmpas ei llygaid wedi chwyddo. Roedd patshyn bach coch ar ochr ei thrwyn. Ac roedd rhyw olwg ar goll arni hefyd, am na allai weld yn dda heb ei sbectol.

'Dwedodd e diolch am y te.'

Trodd Mam yn ôl at y drych a rhoi dab arall i'r clwyf. Gwelais smotyn coch ar y gwlân cotwm. Agorodd diwben o Savlon a gwasgu'r tamaid lleiaf o'r stwff gwyn ar flaen ei bys a'i rwbio i mewn i'r croen.

'Ti'n cael bàth heno?' meddai. Am mai dyna oedd y drefn nos Sadwrn.

'Fi'n mynd nawr.'

Rhoddodd Mam y Savlon ar y bwrdd, ar bwys y sbectol. Roeddwn i'n disgwyl ei gweld hi'n mynd ati i unioni'r fraich gam wedyn, ond wnaeth hi ddim. Rhoddodd y sbectol ar ei thrwyn ac edrych yn y drych.

'Ti'n mynd, 'te?'

Gorweddais yn y dŵr a meddwl am lygad Mam a'r gwlân cotwm a'r smotyn coch a'r sbectol a cheisio dirnad sut roedd hynny i gyd wedi digwydd heb i mi ei glywed. Ac roeddwn i'n methu deall pam na fyddai Dad wedi gofyn iddi dynnu'i glasys y tro hwn, fel y gwnaeth o'r blaen. A siawns nad oedd taro sbectol a wyneb yn gwneud mwy o sŵn na tharo wyneb yn unig. Taro sbectol yn erbyn trwyn hefyd, a phlygu braich. Bues i'n meddwl am Terry wedyn, ac am y *Mexican wave* a Maradona a'r holl glebar a siarad wast a foddodd y cwbl.

Trois ar fy ochr a rhoi fy nghlust dde o dan y dŵr. Gwrandewais ar y ddau wacter, yr un sych a'r un gwlyb. Yna pisiais yn y dŵr. Pisiais, achos roedd hynny'n beth ffiaidd i'w wneud a byddai Dad yn grac petai'n gwybod. Ond fyddai Dad byth yn cael gwybod. Roeddwn i wedi baeddu ei dŷ. Roeddwn i wedi difwyno'i fàth ei hunan. Ac ni fyddai ddim callach. Roedd yn rhaid i mi ganolbwyntio'n galed i wneud hynny hefyd, ac i barhau i'w wneud, oherwydd peth croes i natur a gwareiddiad a glendid yw pisio yn y bàth.

Ond roedd gen i reswm arall am weithredu felly. Yn ogystal â'r awydd i faeddu tŷ Dad, rhaid i mi gyfaddef fod arnaf hefyd chwant clywed sŵn fy nŵr fy hun – i ganfod *a oedd ganddo sŵn* – o'i arllwys i ganol y dyfroedd mawr.

Ac mae'n rhaid i bawb wneud hynny drosto'i hun er mwyn llawn werthfawrogi cân y ffrwd ddirgel honno, yn donnau bach ar y glust, yn ôl yn yr hylif amniotig.

Ddydd Llun, aeth Mam allan i siopa er mwyn dangos ei chleisiau i'r cymdogion. Dim meigryn y tro hwn. Dim sbectol haul. A braich ei sbectol bob dydd yn dal yn gam. Pan ddes i'n ôl o'r ysgol, roedd y nwyddau i gyd ar fwrdd y gegin, yn tystio i'w phrysurdeb: ffrwythau a llysiau o'r siop fach, macynon papur a phast dannedd o'r siop gemist, sosejys ac wyau o'r siop bwtsiwr, ynghyd â chwpl o gylchgronau o'r siop bapurau, a hynny'n beth anghyffredin am nad oedd Mam yn un am brynu cylchgronau fel arfer. Yna aeth â mi i weld Wncwl Cyril ac Anti Jess. Brawd Dad oedd Cyril. A dwi ddim yn siŵr a gafodd Wncwl Cyril air bach gyda Dad wedyn. Neu efallai mai'r cyfan a ddymunai Mam oedd sicrhau bod y teulu'n cael gweld beth roedd ei gŵr wedi'i wneud iddi. Roedd hi eisoes wedi hysbysu'r cymdogion; siawns nad oedd ei cheraint yn haeddu'r un driniaeth. Caent hwythau yn eu tro drosglwyddo'r wybodaeth i eraill, i gefnderoedd a chyfnitherod, i fodrybedd ac ewythrod, ac yn y blaen.

Ddaeth dim blodau'r tro hwn. Aeth Dad i'r stafell ffrynt a phwdu. Ni chododd law. Ni waeddodd. Ni sibrydodd.

Pwdodd.

6

Bu Mam a fi'n byw yn y stafell gefn am dri mis, minnau'n eistedd wrth y bwrdd, yn plygu dros fy ngwaith cartref, hithau mewn cadair esmwyth, yn gwneud ei phosau croeseiriau. Byddai'r radio'n chwarae'n dawel yn y cefndir, neu efallai ryw gasét neu'i gilydd. Stwff o'r sioeau oedd at ddant Mam, ac arias o'r operâu: Pavarotti, Carreras, Bergonzi neu un o'r dynion hynny. Gwell gen innau ganeuon Bonnie Raitt, ac fe wrandewais arnynt hyd syrffed, yn bennaf am fod Jill Seymour yn eu hoffi, a gallwn eu hymian pan oedden ni'n gweithio gyda'n gilydd. Tynnais luniau o'r ardd gefn, a'r tai y tu ôl, a rhyw dai eraill hefyd, tai na allwn ond eu dychmygu. Prin y clywem ni sŵn y teledu drws nesaf, a doedd dim smic gan Dad. Bob hyn a hyn byddai drws y lolfa'n agor a dôi *dwff-dwff* ei sliperi o'r pasej, neu o'r grisiau, os oedd yn mynd i'r tŷ bach. Fel arall, dim.

Yn y bore, roedd y drefn yn wahanol. Cymerai Dad ei frecwast yn y stafell gefn, a Mam yn gweini arno fel petai'n gwsmer mewn caffi. Cwsmer surbwch oedd e hefyd, yn hoff o'i bupur a'i fwstard. Cawn innau fy mrecwast yn y gegin. Roedd y tŷ cyfan fel petai'n pwdu, yn dala'i wynt, yn aros i weld pwy fyddai'r cyntaf i ildio'r hanner modfedd tyngedfennol.

Yna, ryw noswaith, clywsom ddrws y lolfa'n agor. Yna ein drws ni, dim ond lled pen.

'Nag wyt ti moyn gweld …?'

Erbyn hynny, a minnau wedi cwpla fy ngwaith cartref, roeddwn i'n eistedd, nid wrth y bwrdd, ond ar y gadair esmwyth arall yng nghornel y stafell. A dyna pam, trwy gil y drws, y gallai Dad edrych arna i heb fod yn weladwy i Mam. Bues i'n meddwl wedyn, tybed a fu'n cynllunio hynny ers amser, yn ceisio gweithio allan a fyddai'r drws yn ddigon o wahanfur rhyngddo ef a'i wraig fel y gallai esgus nad oedd hi yno. Byddai wedi gorfod ystyried ai f'yna, gyferbyn â'r drws, yr oeddwn i'n eistedd, ynte'r ochr draw. A dod i'r casgliad, siŵr o fod, mai Mam fyddai'r ochr draw, oherwydd y golau, ei llygaid gwan, a'r bwrdd bach ar bwys, i ddala'i glasaid o win.

'Nag wyt ti moyn gweld *Match of the Day*?'

Gwyrodd ei ben i gyfeiriad y teledu drws nesaf, a sŵn yr anthem agoriadol gyfarwydd yn goferu trwy'r drysau agored. 'Ry'n ni'n dau'n dyall ein gilydd a does dim ots am neb arall.' Dyna oedd byrdwn yr olwg yna. Ond 'Nag wyt ti …?', nid 'Wyt ti …?' Oherwydd, er nad oedd Mam yn gweld dim byd, gallai glywed y cwbl, a byddai 'Wyt ti …?' wedi awgrymu gwendid. Dyw tad ddim i fod i ymbil ar ei fab yn ei dŷ ei hun, yn enwedig pan fo'i wraig anufudd wrth law, yn pwyso a mesur pob gair. 'Nag wyt ti …?' felly, a'i ddweud yn gwta ddi-lol, fel petai'n edliw i mi fy anghofusrwydd.

'OK.'

Gadawodd y drws ar agor a dychwelyd i'r stafell ffrynt. Edrychais ar Mam.

'Well i ti fynd.'

Rhwng sylwebaeth groch John Motson a bloeddio'r dorf a chlebran y gwesteion, ni fu'n rhaid i Dad a fi siarad â'n gilydd ryw lawer. Eisteddwn, â'm breichiau wedi'u plethu, ac esgus canolbwyntio ar bob cic a thacl, ar bob sylw dwl. Gwnâi yntau'r un peth. 'Gôl dda,' cynigiais i unwaith, pan aeth ein mudandod yn drech. 'Ddim yn ffôl,' meddai Dad. Rhyddhad oedd cau'r bwlch, hyd yn oed am ychydig eiliadau. Ond teimlwn yn euog hefyd, wrth feddwl am Mam drws nesaf, gyda'i chaneuon o'r sioeau a'i phos croeseiriau a neb i leddfu ei mudandod hi.

Wythnos yn ddiweddarach roedden ni'n tri yn ôl gyda'n gilydd yn y stafell ffrynt, yn gwylio *Coronation Street*. Roedd Dad wedi cael pwl cas ar ôl dod adref o'r *launderette* a methu codi o'i gadair. Eistedd gyda'n gilydd o raid oedden ni, felly, nid o ddewis, a minnau'n meddwl, Wel, digwyddodd hynny'n gynt nag o'n i'n disgwyl. Ond bues i'n ystyried wedyn, Na, efallai ddim mor gyflym chwaith, oherwydd doedd neb yn gwybod am faint y bu'r drwg yn cwato y tu mewn iddo, yn crensian ei ddannedd, yn aros ei dro.

'Wff.'

Ochneidio y byddai Dad pan oedd angen help arno i fynd i'r tŷ bach neu'r gegin. Dim geiriau, dim ond ochenaid fach, a'i wthio ei hun ymlaen yn ei gadair, a gwneud rhyw ystumiau â'i law fel petai'n dweud, 'Na, dwi ddim isie dim o'ch ffŷs a'ch ffwdan. Cadwch draw.' A derbyn yn anfoddog wedyn, fel y byddech chi'n tybio mai fe oedd yn gwneud cymwynas â ni. Pwysai ar fy ysgwydd â'i fraich dde. Daliai Mam y fraich arall. Baglai'i ffordd ymlaen, un cam bach ar y tro, a phob cam yn dwyn ei ochenaid ei hun.

'Wff. Wff.'

Am ychydig, roedd yr ocheneidiau hyn yn ddigon tebyg i'r sylwebaeth ar *Match of the Day*. Llenwent fwlch, gan ein hesgusodi rhag unrhyw ddyletswydd i siarad â'n gilydd. Roedden nhw hefyd yn dweud y cyfan yr oedd Dad yn dymuno ei ddweud y funud honno. 'Rwyf mewn poen. Rydych chi'n gwneud y poen hwnnw'n waeth. Rwy'n gwneud hyn i gyd yn erbyn fy ewyllys. A pheidiwch chi â meddwl am eiliad na allwn i daro'n ôl petawn i'n dymuno.' Ond ni chefais fy nhwyllo. Rhwng yr ocheneidiau fe glywais y drwg ei hun yn tynhau ei afael ar yr asgwrn cefn, yn tagu'r nerfau, yn llyncu'r cyhyrau a'r gewynnau. A gwyddwn fod y drwg hwnnw yn gryfach o lawer na Dad a'i ddwndro gwag.

Sut sŵn oedd gan y drwg? Cwestiwn anodd. Ac alla i ddim cynnig ateb pendant oherwydd roedd fel petai'r sŵn yn newid o wythnos i wythnos. Crensian dannedd ddwedais i gynnau, ac roedd hynny'n ddigon agos ati, ar y dechrau, pan oedd yr asgwrn yn ceisio ymladd yn ôl. Ond erbyn hyn, yn amser yr ochneidio a'r baglu, a chorff Dad wedi derbyn ei ffawd, rwy'n credu bod sŵn crensian yn rhy galed, yn rhy groch. Mae angen delwedd fwy cynnil a gochelgar. Beth am neidr? Dyna'r gymhariaeth sy'n dod i'r meddwl. Yr oedd llais y drwg yng nghefn Dad yn ymdebygu i sŵn neidr yn llyncu ei phrae: rhyw lyncu araf, bob yn damaid bach, a'r gwyliwr yn meddwl, Na, all hynny ddim bod, all neidr ddim llyncu crocodeil, mae'n rhy fawr, yn rhy ffyrnig, yn rhy chwim. Ond newydd-ddyfodiad yw'r gwyliwr hwnnw. Ni welodd y tagu hir, na chlywed y gwasgiadau llafurus a'r gwingo pitw. Camodd i mewn ar ddiwedd yr alanas a thybio mai'r llyncu oedd y cyfan. Ond y tagu hir, tawel ddaeth gyntaf. Dyna laddodd yr ysglyfaeth.

Bu'r drwg yng nghefn Dad ers amser maith, ac yn tagu'n arafach na'r un peithon.

'Mae'n newyddion da,' meddai Mam, pan gafwyd canlyniadau'r sgan, ac oedi wedyn wrth geisio dehongli'r olwg ar fy wyneb. Roedd hi'n gwrthod credu, efallai, mai siom oedd y tu ôl i'r olwg honno. 'Dyw e ddim yn *malignant,*' meddai. Chwiliodd am arwydd o dosturi, o ryddhad. Nodiais fy mhen.

Ond doedd e ddim yn newyddion da i gyd. Allai'r doctoriaid ddim torri'r tiwmor allan. Roedd yn agos iawn at un o'r nerfau a gallai niweidio'r nerf honno barlysu'r coesau. Ac eto, o beidio â'i dorri allan, byddai'r tiwmor yn dal i dyfu. *Malignant* neu beidio, byddai'i afael yn cryfhau. Byddai'r coesau'n ildio. Yn hwyr neu'n hwyrach, byddai'r neidr yn ei lyncu.

7

Aeth Mam a fi gyda'n gilydd i brynu cadair olwyn i Dad. Buon ni'n pendilio am sbel rhwng yr Escape a'r Getaway a'r Quickie. Yn y diwedd y Quickie a ddewiswyd am ei bod hi'n ysgafnach na'r lleill. Wrth aros i dalu, edrychem ar yr eitemau eraill a fyddai, o bosibl, yn hawlio ein sylw maes o law: y fframiau cerdded, yr estyniadau i dapiau'r bàth a'u gwnâi'n haws i'w hagor a'u cau, y Folding Helping Hand Long-Reach Pick-Up Gripper. 'Digon i'r diwrnod,' meddai Mam.

O'i gaethiwo yn ei gadair olwyn, roedd Dad yn fyrrach o ddwy droedfedd. O'r braidd y gallai estyn am grys o'i wardrob, heb sôn am afael yng ngholer Mam. Ac ar y dechrau, roedd hynny'n beth da. Teimlai hithau'n saffach. Teimlwn innau'n llai pryderus. Ni wellodd ei natur, ond fe dynnwyd ei cholyn.

'Oer.' Llais Dad o'r stafell gefn. 'Blydi oer.' Er rhoi stribedi rwber ar bob un o'r drysau a'r ffenestri, roedd Dad yn teimlo'r oerfel yn waeth nag erioed, a doedden ni ddim gwell o ddweud wrtho mai un o symptomau'i gyflwr oedd hynny. Rhaid troi'r gwres ymlaen, hyd yn oed ar ganol haf. 'Blydi sythu.' Fel tiwn gron. 'Blydi sythu.' A bwrw'i goes â'i law, i gael y gwaed i symud.

Oerodd popeth arall ym myd bach Dad hefyd. Dyna'i fwyd, er enghraifft. Y tost ar ei blât. Y te yn ei gwpan. Roedd Dad, yn ogystal â bod yn fyrrach, wedi arafu'n ddirfawr dan ddylanwad ei salwch a'r cyffuriau y bu'n eu cymryd. Byddai ei frecwast, o ganlyniad, yn oeri'n gynt nag y gallai ei fwyta. Âi'n gandryll wedyn. Un bore, cydiodd yn ei gwpan a'i daflu yn erbyn y wal. Doedd neb yno i wylio'r weithred ond dyna ddigwyddodd, yn bendifaddau. Yn anffodus, wrth daflu'r cwpan, sarnodd hanner ei gynnwys dros ei foch a'i arlais. O edrych yn ôl ac ailystyried, rwy'n siŵr y byddai wedi penderfynu yfed y te yn gyntaf, neu ei arllwys yn ôl i'r tebot. Ond, ar y pryd, doedd ganddo mo'r craffter na'r amynedd i wneud hynny. Clywais waedd, yna regfeydd: dim brawddegau, dim ond bwledi bach stacato, un ar ôl y llall.

Dwedodd Mam, 'Cer i weld, wnei di?' am ei bod hi ar ganol gwneud ei rhestr siopa. Pan es i i'r stafell gefn fe welais i'r staen brown ar y wal, a'r te'n dal i ddiferu dros y sgertin, a'r cwpan, trwy ryfedd wyrth, yn gorwedd yn gyfan ar y carped.

'Ble mae dy fam?'

'Yn y gegin.'

Fe welais i ei goler gwlyb hefyd, a'r macyn yn ei law, a rhyw sglein ar ei glust lle doedd e ddim wedi sychu'i hun yn iawn. Sylwais wedyn fod ei blât wedi cwympo ar y llawr – p'un ai o fwriad ynteu trwy ddamwain, allwn i ddim dweud – a bu'n rhaid i mi symud Dad o'r ffordd er mwyn mynd ato. Trois ei gadair olwyn a'i dodi'n dwt rhwng y bwrdd a'r wal, fel na allai weld dim ond y papur, y streipiau coch, y staen brown.

'Cer i weud wrth dy fam …'

A chefais foddhad o hynny: bod rhaid iddo edrych dros ei ysgwydd er mwyn siarad â fi, a minnau'n gallu torri ar ei draws heb ofni'i lid na'i law.

'Mae hi'n fisi.'

Es i i hôl clwtyn i sychu'r sgertin, a brws a phadell i godi briwsion y tost o'r llawr.

'Gwed wrth dy …'

A doedd dim ots beth ddwedodd e wedyn achos roeddwn i yn y gegin, yn siarad â Mam am waith ysgol, ac yn dangos llun iddi roeddwn i wedi'i dynnu ar gyfer fy mhortffolio. Câi hithau hefyd, rwy'n credu, ryw foddhad o hyn i gyd: y câi'i gŵr refru faint a fynnai, ond na allai byth â'i dala hi eto. Ac roedd hynny'n galondid, o gofio y byddwn i, ymhen y flwyddyn, yn mynd i'r coleg ac yn gadael Mam i ymorol drosti hi ei hun.

Bum munud yn ddiweddarach, dychwelais i'r stafell gefn

a chlirio'r annibendod. Roedd Dad wedi llwyddo i symud ei gadair ychydig fodfeddi. Erbyn hyn roedd yn edrych allan trwy'r ffenest: ar y drudwns, yn hedfan uwchben y berth; ar y borfa, yn llyncu'r glaw. Fe'i gwthiais yn ôl at y bwrdd.

'Rhagor o dost?'

Ysgydwodd ei ben. 'Blas cas 'da fe.'

'Mm?'

'Y tost. Mae blas cas 'da fe.'

'Cas?'

'Mae fel cnoi …' Edrychodd ar olion y tost ar y plât. 'Fel cnoi cols.'

'O.'

'Nage. Dim cols. Mae fel sugno ceiniog. Sugno hen geiniog o slawer dydd.'

Ac roedd hynny hefyd yn symptom o'i gyflwr. Metel yn rhydu yn ei geg. Am fod ei asgwrn cefn yn pydru. Roedd e'n blasu ei bydredd ei hun. Rhwd ei gorff.

Cysur, am ryw ychydig, oedd gweld caethiwed Dad a gwybod na allai daro'n ôl. Ond cawsom ddadrithiad buan. Bu'n rhaid i Mam ei yrru i'r *launderette* bob bore, i wneud twrn o waith, am na fyddai'n ymddiried yn neb arall i drafod y jobs anodd. 'Mae 'da ni enw da i'w gadw. Allwch chi ddim fforddio colli'ch enw da.' Ac yn ôl wedyn gyda'r hwyr. Ac nid dim ond ei yrru chwaith ond ei lwytho, fel sachaid o dato, i'r sedd flaen a'i ddadlwytho wedyn, a'i gadair hefyd, a gorfod tynnu'r olwynion bob tro fel y gellid ei ffitio i'r cefn. Trodd caethiwed Dad yn gaethiwed i Mam. Ochneidiai ei ddiolch iddi. Roedd mwy nag un ffordd o glatsio gwraig.

Dyma rai o'r pethau a wnes i'r flwyddyn honno.

Cymerais wersi gyrru fel y gallwn i helpu Mam i lusgo Dad o gwmpas y lle.

Sefais fy arholiadau Lefel A mewn Celf a Dylunio, Mathemateg a Ffiseg am fy mod i wedi rhoi fy mryd ar fod yn bensaer. Gweithiais yn galed iawn. Cefais ddwy 'B' ac un 'C': canlyniadau siomedig, ond digon da i gael fy nerbyn gan Brifysgol Sheffield.

'Mae Sheffield mor bell,' meddai Mam.

'Tair awr ar y trên,' meddwn innau.

'Sa i'n gwbod shwt fydda i'n dod i ben, Tomos.'

Ceisiais ddarllen *Neuromancer* gan William Gibson.

Es i i Barc yr Arfau gydag Elinor Brooks, fy nghariad cyntaf, i weld Michael Jackson. Gwnes fy ngorau i ffugio pleser. Prynais *Moonwalk* iddi ar ei phen-blwydd. Collais fy ngwyryfdod yn fy stafell wely pan aeth Mam allan gyda'i ffrindiau i weld *Rain Man*. Roedd Dad i lawr stâr, yn gwylio'r teledu.

'Sssh, sssh,' meddai Elinor.

'Mae'n ffaelu clywed dim,' meddwn innau.

A doedd dim ots gen i beth glywodd e.

8

Mae gwahaniaeth rhwng clywed synau a'u dehongli. Dyna sydd raid ei gofio. Bai ein clustiau yw hynny. Wrth glywed llawer, dydyn nhw ddim yn deall ei hanner. Wrth glywed dim ond tipyn bach, maen nhw'n dychmygu gormod ac yn tybio eu bod nhw'n deall y cyfan.

Aeth Elinor a fi am dro ar ein beics, ychydig ar ôl i ni gwrdd, yn ôl yn haf 1987. Roedd Caerdydd wedi codi i'r Drydedd Adran, gyda Jimmy Gilligan yn sgorio 25 gôl. Ond roedd Thatcher yn dal mewn grym a'r glowyr ar y clwt. A gallech chi ddweud mai math o arbrawf oedd y daith fach honno. Aethom ar lwybr oedd yn hen gyfarwydd i mi ac roeddwn i'n awyddus i weld a fyddai Elinor yn ymateb yn yr un modd; neu, a bod yn fwy manwl, a fyddai clustiau fy nghariad yn cadarnhau'r hyn a glywai fy nghlustiau fy hun.

Dydd Gwener oedd hi a'r llwybr yn dawel. 'Daw'r bioden mas yn y man,' meddwn, wrth fynd heibio'r gored yn Radur ac i mewn i Hayley Park. A dyna hi, y bioden, yn hedfan ar draws y llwybr, fel roedd hi wedi'i wneud bob tro y down i'r ffordd yma ers dwy flynedd a mwy. O gyrraedd Tongwynlais, troesom ar bwys y Lewis Arms a dringo'r tyle hir, heibio Castell Coch, i Flaengwynlais. Roedd beic Elinor – Dawes Galaxy drudfawr – yn ysgafnach na fy meic i ac yn meddu ar gêr isel iawn. Bu'n rhaid i mi weithio'n galed i gadw o fewn canllath iddi. Câi foddhad o hynny, rwy'n credu, ac o weiddi dros ei hysgwydd, bob hyn a hyn, 'Cadw lan, wnei di!' Cefais innau foddhad o glywed y dinc chwareus yn ei llais. Clywais rywbeth lled rywiol ynddi. Doedden ni ddim eto wedi cysgu gyda'n gilydd ac roeddwn i'n barod iawn i gredu efallai nad oedd cymaint â hynny o fwlch rhwng dechrau caru a chwerthin yn yr awyr agored ar gefn beic.

O gyrraedd y copa, cawsom hoe fach i gael ein gwynt atom a thorri ein syched. Yna bant â ni eto, ar y goriwaered erbyn hyn, a minnau'n gwybod bod y gwaith caled i

gyd wedi'i wneud ac yn teimlo rhyw ryddid newydd o'r
herwydd. Roedd Elinor yn dal ar y blaen wrth i ni droi
ar bwys y Black Cock a dilyn y lôn serth i lawr i Waun
Waelod. Ac fe ddigwyddodd, yn ôl y disgwyl, fel yr oedd
wedi digwydd gant o weithiau o'r blaen, pan ddown i'r
ffordd yma ar fy mhen fy hun: clywsom gar yn dod o'r
tu ôl i ni. Grwndi'r injan. Sisial y teiars ar yr heol. A chan
fod yr heol yn gul ac yn droellog fe wnaeth Elinor yr hyn
y byddai unrhyw feiciwr carcus, cyfrifol yn ei wneud: fe
dynnodd tua'r ochr ar y cyfle cyntaf a gadael i'r car fynd
heibio.

Ond doedd dim car yno. Doedd dim byd yno, heblaw'r
heol, a'r coed bob ochr iddi.

'Gallwn i dyngu …'

Syllodd. Clustfeiniodd. Drysodd. Roedd y car wedi
diflannu, a'i sŵn hefyd.

Ac fe gofiais y tro cyntaf i mi ddod y ffordd yma a
gwneud yr un peth: syllu a drysu a rhyfeddu. Pallu credu
nad oedd dim car yno, ar fin goddiweddyd, a'r gyrrwr yn
dechrau colli amynedd. A'r gwacter wedyn yn beth mor
chwithig, am fod y celwydd yn llawer haws i'w gredu
na'r gwirionedd, sef mai fy olwynion fy hun oedd y car
rhithiol, a'u sŵn yn taro clawdd a choed ac yn dychwelyd
i'r glust ddiffygiol mewn gwisg ddieithr.

Y glust sydd ar fai. Dyw'r glust ddynol ddim yn clywed
yn iawn yr hyn sy'n digwydd y tu ôl iddi, o'r golwg, yn y
dirgel. A byddai'n llawer gwell petai gennym glustiau cath
neu geffyl, a'r rheiny'n troi i bob cyfeiriad yn ôl yr angen.
Neu'n well fyth, clustiau tylluan. Gall tylluan glywed

chan dybio, petawn i'n clecian digon, y byddai'r ymateb personol diafael hwnnw'n siŵr o'i amlygu ei hun. Ond testun ystyfnig oedd yr adeilad hwn hefyd. Roedd fel petai am ddianc o hyd, am lithro o'r golwg. Brolio'i mawredd wnâi'r Amgueddfa; roedd y pagoda'n fawr, ac eto'n swil, yn ddieithr. Ffwlbri oedd ceisio magu perthynas gyda'r un o'r ddau.

Seiclo'n ôl o'r pagoda oeddwn i pan welais i'r Felin am y tro cyntaf. Cymerais yr heol fach y tu ôl i'r lanfa er mwyn osgoi prysurdeb y ffordd fawr. (Roedd rhaid i mi arfer pwyll yma oherwydd y pwysau ar fy nghefn, a'm sach yn llawn deunydd tynnu lluniau a chyfarpar ffotograffig.) Oherwydd hynny, des i at yr adeilad o'r cefn. Cefais fy nghyfareddu ar unwaith gan ei wal fawr grom. Ond nid fy nghyfareddu'n unig. Yn fwy na dim, efallai, cefais fy *mrawychu*. Roedd a wnelo hynny i ryw raddau, dwi ddim yn amau, â maint yr adeilad. Yn saith llawr o uchder, ac yn hirach na'r Amgueddfa a'r pagoda, roedd y wal o'm blaen yn tra-arglwyddiaethu ar yr anialwch o'i chwmpas. Ymdebygai, yn hynny o beth, i un o byramidiau'r Aifft, yn fawr ei rwysg yng nghanol y tywod. Ac eto, roeddwn i eisoes wedi mynd heibio sawl hen warws mawr yn ymyl y lanfa, dinosoriaid eraill o'r oes ddiwydiannol a fu, ac ni chefais fy nghyffwrdd gan yr un ohonynt. Blociau sgwâr amrwd, diolwg oedd y rheiny. Roedd y Felin yn wahanol. Meddai'r Felin ar ryw nodwedd arall, rhywbeth lledrithiol ond bygythiol, na tharddai o'i maintioli yn unig. Peth pensaernïol oedd y nodwedd honno, mae'n rhaid, er na wyddwn i mo hynny ar y pryd. Sefais yno a syllu. Gwelais enw Dobson & Towley fry ar dalcen y wal grom. Roedd arwyddlun uwchben, un tebyg i logo enwog Metro-Goldwyn-Mayer o ran ei siâp, ond gydag ysgub yn ei ganol yn lle llew. Peth priodol oedd hynny hefyd, i'm tyb i: bod yma adlais o'r sgrin fawr a breuddwydion arwrol Hollywood. Ac fe hoffwn i fod wedi mynd yn nes, er mwyn astudio'r fynedfa, ond roedd yr adeilad wedi'i amgylchynu gan ffens uchel a gorchmynion i gadw allan.

Seiclais yn ôl at yr heol a chlymu fy meic wrth y reilin. Yna es i am dro. Y peth cyntaf a'm trawodd wrth ddod at ben draw'r wal grom oedd nad oedd gan yr adeilad gorneli, ddim yn yr ystyr arferol. Peth crwm oedd y cornel cyntaf hwn, yr un peth â'r wal. Crwm oedd y cornel nesaf hefyd, a'r nesaf, a dyma fi'n ôl yn y man cychwyn. A dyna'r ail beth a'm trawodd. Doedd gan y Felin ond tri chornel. Ystyr y ffaith honno, o'i hymestyn, oedd mai dim ond tair wal oedd ganddi hefyd, ac os felly, mai adeilad trionglog ydoedd. Es i o'i amgylch unwaith yn rhagor er mwyn gwneud yn siŵr nad oeddwn i'n camgymryd. Ond doedd dim amheuaeth. Triongl oedd y Felin. Ni welais mo'i debyg na chynt na chwedyn.

Teimlais yn annifyr yn sgil y darganfyddiad hwn. Yn wir, cefais bwl bach o'r bendro. Pethau sgwâr oedd adeiladau i fod, neu hirsgwar, neu ryw amrywiad ar y patrymau hynny. Roedd y sawl a ddyluniai ein tai a'n heglwysi a'n ffatrïoedd a'n hysgolion yn gwybod ei bod yn dda gan bobl fyw mewn llinellau syth. Oedd, roedd yna adeiladau crwn i'w cael yn y byd, ond eithriadau oedd y rheiny, a'r rheswm am eu crynder yn gwbl benodol. Y Coliseum, er enghraifft. Neu'r Albert Hall. Neu Neuadd Reardon Smith, y tu ôl i'r Amgueddfa yng Nghaerdydd.

Crwn, bob un, am mai lleoedd perfformio oedden nhw. Er ei bod yn well gennym fyw mewn llinellau syth, peth hwylus yw gwylio pethau mewn cylchoedd. Ond, yn fy myw, ni allwn i ddirnad pa fath o weithgarwch oedd yn ei gynnig ei hun i ymdriniaeth drionglog.

Wedi cerdded o'i hamgylch am y trydydd tro, sefais yn ôl i edmygu'r briodas drawiadol rhwng cerrig a briciau. Gwenithfaen tywyll oedd y prif ddefnydd ond roedd bandiau llydan o friciau coch wedi'u gosod arnynt rhwng yr ail lawr a'r trydydd, ac eto rhwng y pedwerydd a'r pumed, a'r rheiny'n ymestyn ar hyd y wal grom ac ychydig ymhellach wedyn, o amgylch y corneli crymion. Yr oedd yn ogystal, bob hyn a hyn, fandiau o frics yn rhedeg o'r top i'r gwaelod. Effaith hyn i gyd oedd rhoi'r argraff bod y Felin wedi'i dal mewn plethwaith o wregysau cochion. Edrychai'r cyfan yn hynod o gadarn. Des i i'r casgliad mai dyna, o bosibl, oedd diben y siâp trionglog. Mewn adeiladau sgwâr, roedd pob wal fel petai'n wynebu'r byd ar ei phen ei hun. Yma, yn y felin drionglog, roedd y welydd yn cofleidio'i gilydd, yn deulu clòs a chydnerth.

Fe'm swynwyd gan y ffenestri hefyd: y math o ffenestri, gellid dweud, a gadwai'u cyfrinachau. Roedden nhw'n eithriadol o ddwfn, ac oherwydd hynny yn drwm dan gysgodion. Malwyd llawer o'r cwareli, ond roedd y rhai uchaf yn gyfan o hyd. Ar un ochr, yn yr entrychion, roedd amryw yn adlewyrchu golau'r haul. Ac eto, doedd y goleuni hwnnw ond yn dyfnhau eu dirgelwch.

Ac os oedd y nodweddion hyn i gyd yn gwneud i'r Felin ymddangos fel carchar, efallai fod hynny hefyd, ar y pryd, yn rhan o'r atyniad. Roedd arna i chwant gwybod pwy neu beth oedd yn cael ei gaethiwo yma, a beth oedd natur ei rym, fel bod angen clymu'r fath rwymau amdano.

Tynnais ffotograffau o'r tair wal, ac o'r corneli hefyd, mewn ymgais i gyfleu rhyw syniad o'r siâp annisgwyl. Yn wir, cymaint oedd y cynnwrf a deimlais o ddarganfod yr adeilad hwn a chymaint fy awydd i fod yn lladmerydd triw i'w hynodrwydd, fel y tynnais dros hanner cant o luniau ohono a thalu'n ychwanegol am gael printiau mawr. Siom o'r mwyaf wedyn oedd gweld y canlyniadau. Ni allai ffotograffau, hyd yn oed hanner cant ohonynt, a'r rheiny'n llawer mwy na'r cyffredin, gyfleu maint a thrymder y fath strwythur. Collwyd yr ymdeimlad o fraw. Collodd y ffenestri eu dyfnder a'u dirgelwch. Sgwariau bach tywyll oedden nhw bellach, a hyd yn oed y rhai uchaf heb yr un fflach o heulwen nac awyr las. Dofwyd y cyfan. A doedd y ffotograffau ddim tamaid mwy personol na'r lluniau dienaid a dynnais o'r Amgueddfa a'r pagoda.

10

Dwedodd y meddygon fod y tyfiant yng nghefn Dad yr un siâp â gwddf alarch, yn plygu'n ôl ac ymlaen, yn ei lapio'i hun, bob yn dipyn, am yr asgwrn.

'Yn cynnwys y pen?' gofynnais i Mam.

'Beth?' meddai Mam.

'Y peth alarch 'ma. Ydy hynny'n cynnwys y pen a'r pig?'

Twt-twtiodd. 'Paid bod yn wirion, Tomos.' Ysgydwodd ei phen a ffugio'r olwg siomedig yna oedd yn dweud rhywbeth tebyg i, 'Rwy'n gwybod cystal â ti taw hen ddiawl yw dy dad, Tomos bach, ond fy ngŵr i yw e, a ti yw ei fab, a dim ond gwneud pethau'n waeth wnei di gyda dy sbeng a dy ddirmyg.'

Ond byddai hynny wedi gwneud synnwyr. Roedd alarch yn tyfu y tu mewn iddo, a'i big yn gafael yn ei asgwrn cefn, fel y bydd dringwr yn gafael yn y graig, ac yn ei dynnu'i hun i fyny fesul fertebra er mwyn mynd at y golau a'r awyr las a rhyddid. Dyna pam roedd wyneb Dad mor goch, am fod yr alarch wedi cyrraedd ei lwnc, wedi gweld y golau, ac roedd Dad yn teimlo ergydion cyntaf y pig ar ei dafod. Jobyn a hanner wedyn oedd mygu'r pig hwnnw, ddydd a nos, ac fe chwyddodd ei ben o'r herwydd. Roedd hynny'n egluro'r 'ig' hefyd. Bu Dad yn igian yn ddibaid ers wythnos. Dwedodd Mam mai'r steroids oedd ar fai, ond i mi, math o alarch oedd steroid a dyna oedd ei gân. 'Ig, Ig, Ig,' meddai, wrth lapio'i wddf am yr asgwrn cefn ac ymestyn am y golau. 'Ig, Ig.' A phwy feddyliai y gallai alarch fod mor debyg i neidr?

Elyrch Mud sydd i'w cael ffordd hyn, ar afon Taf, ym Mharc y Rhath, ar lynnoedd Cosmeston. Dyna'r enw swyddogol arnynt. Creaduriaid digon tawedog ydyn nhw hefyd. Fyddan nhw byth yn gweiddi na chyfarth. Ond dydyn nhw ddim yn fud, ddim o bell ffordd. O glustfeinio, fe glywch chi ryw rwchial dirmygus ganddyn nhw bob hyn a hyn. A'r hisian, wrth gwrs. Hisian piwis, i lawr yn y gwddf, a neb yn ei glywed ond ei gymar a'i gywion. Pwdu mae e, draw yn y brwyn. Dyna ystyr yr hisian. A dyna rywbeth arall sy'n gyffredin rhwng y neidr a'r Alarch Mud. Eu hisian pwdlyd.

11

Es i'n ôl i'r Felin bythefnos yn ddiweddarach. Roedd amser yn prinhau ar gyfer cwblhau fy mhrosiect a Mrs Roberts yn dechrau pregethu nad oedd pwdrod fel fi yn cael mynd i'r coleg na chael jobs fel penseiri na dod ymlaen yn y byd, a gwneud cam â fy mam a 'nhad a'u hymdrechion diflino oedd y fath ddiogi. Pwysodd arna i i fynd i edrych ar gastell Caerdydd os na allwn i gael hyd i unman arall. 'Siawns na fedrwch chi ymateb i hwnna,' meddai. 'Twll eich tin chi,' meddwn innau, yn fy mhen.

Es i â phapur a siarcol y tro hwn. Roedd siarcol yn fwy cydnaws â'm hwyliau. Tybiwn y byddai'n fwy cydnaws â'r Felin hefyd. A fyddai dim angen poeni am liw. Cefais ysgytwad pan welais y lle. Roedd bellach yn ferw o weithwyr a faniau gwyn. Clywais sŵn driliau, yn tyllu rywle yn y perfeddion. Sŵn taro hefyd, a llifio pren. Ysgyrnygu injan. Meini'n cwympo.

Cerddais draw at lannau'r gamlas ac eistedd ar y borfa. Tynnais luniau siarcol o'r tywodfaen tywyll a'r gwregysau brics, a'r baw'n drwch dros y cyfan. Gwyddwn ar unwaith fod y lluniau hyn yn rhagori ar y ffotograffau. Roedden nhw'n fwy personol hefyd. Â'm bysedd yn dynn am y siarcol, gallwn i wneud y cyfan – pob rhes o gerrig, pob ffenest – mor dywyll ac mor drwm ag y dymunwn. Ac eto, ar ôl eu cwpla, sylweddolais nad oedd yr ymdrechion hyn eto'n ddigon. Lluniau o'r allanolion yn unig oedden nhw: y tystion mud. Yr hyn a ddeisyfwn oedd llun, nid o'r wisg arwynebol, ond o'r chwalu tu mewn. Hwnnw, i mi, oedd hanfod y lle bellach. Mynnwn dynnu llun o lais cysefin y Felin, llais ei dadfeilio a'i phoen.

Gwyddwn mai syniadau rhyfedd oedd y rhain, ac eto fe goleddwn ryw obaith, pe gallwn i weld y llif a'r morthwylion a'r injan a'r meini'n cwympo a'r holl bethau eraill oedd yn dwrdio fy nghlustiau, efallai y byddai'n haws tynnu llun cywir. Camp go fawr fyddai cyfleu synau trwy gyfrwng gweledol, wrth gwrs, ond doeddwn i ddim gwaeth o roi cynnig arni. Dyna pam yr es i at ddyn mewn het galed oedd yn sefyll yn ymyl y brif fynedfa.

'Ei dynnu fe lawr y'ch chi?'

'Dim ond tu fewn,' meddai. 'Ei dynnu fe lawr a'i godi fe 'to. Bydd e fel newydd.'

Ond nid y newydd gwreiddiol, wrth reswm. Dysgais mai fflatiau oedd i fod yno, a synnais at hynny: bod modd dofi'r cadernid caregog, a thrwy hynny wneud cartref o'r hyn a fu gynt yn frawychus o anghynnes ac anghartrefol. Gofynnais i'r dyn yn yr het galed a gawn i fynd i mewn, dim ond am bum munud, i gael cip ar y lle, ac egluro bod hyn yn rhan o'm prosiect ysgol a bod angen i mi ei gwblhau erbyn diwedd y mis, a fy mod i am fynd i'r coleg a dod yn bensaer. Cefais ymateb digon serchog. Gofynnodd i mi pa fath o adeiladau yr hoffwn eu dylunio. 'Canary Wharf arall, falle?' Er gwaethaf y serchogrwydd, synhwyrais dinc dirmygus yn ei lais. Felly dwedais i fy mod i am ddylunio tai a oedd yn edrych yn gyffyrddus yn eu cynefin, tai lle byddai pobl yn teimlo'n gartrefol. Rhois bwyslais ar y gair 'cartrefol'. Taflais y geiriau 'modern vernacular' i mewn hefyd, oherwydd roeddwn i wedi clywed yr ymadrodd hwnnw yn yr ysgol. Nodiodd ei ben yn gwrtais. 'Dim blociau concrit, felly.'

'Na,' meddwn innau, ond heb fod yn rhy bendant, rhag ofn bod y dyn wedi gweithio ar flociau o'r fath ei hunan. Credaf iddo dosturio wrtha i wedyn, o weld y dryswch ar fy wyneb. Cyfaddefodd mai peiriannydd oedd e, nid pensaer, a beth wyddai yntau am bethau o'r fath? Addawodd gael gair gyda'r *Clerk of Works* a'm siarsio i ddod yn ôl ddiwedd y prynhawn.

Dychwelais am bump o'r gloch ond bu'n rhaid i mi aros am awr a hanner arall cyn derbyn fy het galed a chael fy hebrwng trwy'r ffens warcheidiol. Erbyn hynny roedd y gwaith wedi dod i ben am y dydd a'r peiriannau i gyd wedi tewi. Ni chefais fynd ymhell: bu'n rhaid i mi sefyll ryw lathen neu ddwy yr ochr draw i'r fynedfa a bodloni ar yr hyn a welwn o'r fan honno. Ond roedd hynny ynddo'i hun yn ddigon o ryfeddod. Ar ryw ystyr, roedd fel sefyll mewn coedwig ganol gaeaf. Ond yn lle coed, yr hyn a dyfai yma oedd colofnau haearn, ugeiniau ohonynt, a phob un mor dal â'r adeilad ei hun. Fry ym mrigau'r colofnau hynny dawnsiai llwch y chwalu a'r dadfeilio ym mhelydrau haul diwetydd. Doedd dim dail, wrth reswm. Doedd dim adar yn canu. Roedd fel petai'r canghennau wedi cael eu torri a'u malu. Ymdebygai'r cyfan yn fwy, efallai, i goedwig ar ôl tân mawr: yn ysgerbydau moel i gyd, ac olion drylliedig y breichiau wedi'u sarnu ar hyd y llawr.

Yng nghanol y colofnau hyn safai colofn arall, un ychydig yn dewach na'r lleill, yn dderwen braff ymhlith y bedw. O'i chwmpas ymgordeddai cafn rhydlyd, dwfn, gan beri i'r cyfan ymddangos yn debyg i *helter skelter* o ffair Ynys y Barri, ond ei fod yn llawer mwy uchel, a'r ymgordeddiadau'n fwy tyn a niferus. Wrth waelod y cafn roedd twmpath blêr o gerrig, brics a phren, a'u llwch wedi'i daenu dros bob man. Y cafn hwn, mae'n rhaid, fu tramwyfa'r grawn ers llawer dydd. Dychmygwn y grawn yn troelli'u ffordd o'r storfeydd uwchben i lawr i'r felin, yn llif chwim a llyfn, fel dŵr pistyll. Buasai sŵn y llif hwnnw, dybiwn i, yn ddigon tebyg i bistyll o'r iawn ryw, yn rhu grymus, penderfynol. Yn rhu naturiol hefyd, ar ryw wedd. Gweddai i'w gynefin, yr un peth â phistyll dŵr yng nghanol y mynyddoedd. A dwi ddim yn amau na roddai'r un boddhad i'r glust, am fod y glust yn gwybod ar unwaith mai dyna sut yr oedd pethau i fod, mai i'r diben hwn y cawsai'r lle ei gynllunio a'i adeiladu. Y fath anfadwaith wedyn oedd diddymu'r llif gweddus hwnnw a rhoi yn ei le ddwmbwr dambar y cerrig wast a'r sbwriel. A'r hen gafn wedi'i dolcio a'i ddyrnu, a'i glwyfau'n gweiddi eu dolur.

12

Aeth wyneb Dad yn fawr ac yn grwn ac yn goch. Aeth ei freichiau a'i goesau'n denau, fel petai'r cig o'r rhannau hynny wedi cilio i'w fochau. Symudwyd ei wely i'r stafell gefn, fel na fyddai'n rhaid iddo ddringo'r stâr. (Roedd tŷ bach yno'n barod, lle bu'r hen *lean-to*.) Rhoddwyd bwrdd yno hefyd, iddo gael mynd yn syth o'i wely at ei frecwast yn y bore.

'Fydda i byth yn dod i ben,' meddai Mam.

'Sefa i gartre, ife?'

'Sori, bach. Dim ond am flwyddyn.'

'Iawn.'

'Gei di fynd i'r coleg wedyn. Y flwyddyn nesa. Rwy'n addo.'

'Iawn.'

'Jyst i helpu fi i gadw llygad arno fe.'

'Ie.'

'Am flwyddyn. Rhoi 'bach o help llaw.'

'OK.'

'Bydd 'da ti arian yn dy boced di wedyn. Byddi di'n falch, pan ei di i'r coleg, bod 'da ti 'bach o arian wrth gefn. Gei di weld. Dim ond am flwyddyn.'

'Iawn, Mam. Iawn.'

Aeth wyneb Dad yn fawr ac yn grwn ac yn goch. Aeth ei freichiau a'i goesau'n denau. Ac aeth ei lais yn wichlyd, am fod pig yr alarch wedi sgramo'i wddwg a rhwygo'i dafod.

'Cyfle i ti ennill dy damaid,' gwichiodd Dad hefyd, pan gafodd wybod na fyddwn i'n gadael cartre y flwyddyn honno. 'Gei di bae yn dy boced,' meddai, yn hwyliog i gyd. 'Dim arian poced. Pae.' Saib wedyn. 'Drei-clîno, cofia. Dim *service washes*. Drei-clîno. Ar y Spencer. A'r Suzy. Y cwbl.'

Soniodd e ddim am y coleg.

Ffugiais wên.

Ddydd Sul olaf y mis Awst hwnnw, yn stafell gefn y *launderette*, yng nghanol y dillad brwnt, a phawb o'm ffrindiau ar eu gwyliau neu'n paratoi at fynd i'r coleg, cefais fy ngwers sychlanhau gyntaf. Eisteddodd Dad yn ei gadair olwyn a'm tywys trwy bentwr o siacedi a ffrogiau a llenni a gorchuddion clustogau a'm siarsio i roi barn am achos eu difwyno. Yn ystod y pum awr nesaf dysgais y rheolau ar gyfer adnabod baw.

'Teimla hwnna.' Rhoddodd Dad sgyrt i mi â phatshyn bach o staen coch arni. 'Caled neu feddal?'

Tynnais flaenau fy mysedd ar hyd y staen. 'Caled.'

'A'r ymylon?'

'Caled.'

'Caletach na'r canol?'

'Sa i'n siŵr.'

'Cau dy lygaid.'

Caeais fy llygaid a thynnu blaen fy mys cyntaf yn ôl ac ymlaen rhwng ymyl y staen a'i ganol.

'Mae'n galetach.'

'Farnis yw hwnna.'

'Ar sgyrt?'

'Mm?'

'Farnis? Ar sgyrt menyw?'

'Pam lai?'

A dysgais nad oedd dim dal lle'r oedd baw yn y cwestiwn. Roedd staeniau o hyd yn mynd yn groes i'ch disgwyliadau.

Gwnes i'r un peth gyda'r paent a'r glud a'r wy, a chanfod bod rhai staeniau'n llawer mwy ystyfnig na'i gilydd, yn fwy cyndyn o ildio'u gafael. Yna estynnodd Dad siaced i mi, â staen hir, brown ar hyd y coler a smotiau bach o'r un lliw oddi tano.

'Gwaed?'

'Gwaed.'

Tynnais fys ar hyd hwnnw hefyd, yn betrus i ddechrau, gan feddwl, Duw, buodd hwn yng nghorff rhywun dro'n ôl. Yn ei drwyn, efallai. Neu ei geg. Ei wddwg, hyd yn oed. Yna, wrth ei gymharu, yng nghof fy mysedd, â'r farnis a'r paent a'r glud, dysgais feddwl amdano, nid fel rhywbeth dynol, rhywbeth a hanes iddo, ond fel un staen ymhlith llawer, rhywbeth i'w adnabod a'i ddileu. Tynnais flaenau fy mysedd ar hyd y brychau i gyd, gan fesur caledwch eu hymylon. Yna symudais ymlaen at staeniau nad oedd modd eu hadnabod trwy'r bysedd yn unig: inc, hufen iâ, mwstard, gwair. A phan nad oedd y bysedd yn ddigon, na'r llygaid chwaith, dysgais wyddor y trwyn.

'Rhaid i ti nabod y staen, Tomos. Wnei di ddim byd heb nabod y staen. Dim byd o werth.'

13

Ddechrau Medi, es i i weld Mrs Roberts, yr athrawes gelf, a dweud wrthi na fyddwn i'n mynd i'r coleg y flwyddyn honno. Rhoddodd bryd o dafod i mi a bu'n rhaid egluro bod Dad yn sâl ac ysgwyd fy mhen ac edrych yn ddagreuol a phwysleisio mai dim ond am flwyddyn yr oeddwn i'n gohirio fy ngyrfa. Cefais fenthyg *Modern Architecture Since 1900* William Curtis ganddi. Cefais restr o lyfrau buddiol eraill hefyd a phregeth fach ynglŷn â chadw'r trwyn ar y maen a phethau felly. Roedd llyfr Curtis yn fawr ac yn drwm ac roedd yn cynnwys geiriau fel 'tectonics' a 'mythos'. Des i i'r casgliad mai hwn, yn wir, oedd y maen yr oedd hi'n sôn amdano. Ond blinodd fy nhrwyn ar ôl pori trwy lai na chant o'r saith can tudalen. Trois at y rhestr wedyn. Y llyfr cyntaf yno oedd *Vitruvius: The Ten Books On Architecture*. Cefais gopi o hwnnw o lyfrgell y ddinas, gan feddwl y byddai darllen deg llyfr rhwng dau glawr, a'r deg llyfr hynny gyda'i gilydd yn llai na hanner maint y Curtis, yn fuddsoddiad doeth o'm hamser. Ynddo, des i o hyd i gyfarwyddiadau ynglŷn â'r *Construction of Water Screws, The Stringing and Tuning of Catapults, The Proportions of Intercolumniations and of Columns*, ac amryw destunau eraill, yn ogystal â'r frawddeg hiraf a ddarllenais erioed:

> *While your divine intelligence and will, Imperator Caesar, were engaged in acquiring the right to command the world, and while your fellow citizens, when all their enemies had been laid low by your invincible valour, were glorying in your triumph and victory,—while all foreign nations were in subjection awaiting your beck and call, and the Roman people and senate, released from their alarm, were beginning to be guided by your most noble conceptions and policies, I hardly dared, in view of your serious employments, to publish my writings and long considered ideas on architecture, for fear of subjecting myself to your displeasure by an unseasonable interruption.*

Darllenais y frawddeg hon yn uchel, gan ymdrechu i adrodd y cyfan ar un gwynt. Es i mor bell â'r gair allweddol, 'architecture', a diffygio. Rhois gynnig arall arni, gan arafu, a chymryd anadl ar ôl pob coma. Ond aeth yr ystyr ar chwâl. Bues i'n ystyried tybed a oedd mwy o wynt ym megin yr hen Rufeiniwr na'r Cymro cyfoes. Neu a oedd y Lladin gwreiddiol, efallai, yn fwy cryno, yn trethu llai ar yr ysgyfaint? Yn sicr, ni fyddai Iŵl Cesar wedi cael ei blesio gan fy ymdrechion blêr.

Wedi blino ar y llyfrau, cefais fenthyg fideo o'r *Towering Inferno*, am fod yr arwr, Doug Roberts, yn bensaer ac yn achub dau o blant o'r fflamau. Roeddwn i eisoes wedi gweld Paul Newman yn *Butch Cassidy and the Sundance Kid* ac roeddwn i'n falch bod pensaernïaeth yn cael ei hystyried yn alwedigaeth gymwys i'r fath seren. Daeth Elinor draw i'w gwylio gyda mi. Amser Nadolig oedd hi a hithau gartref ar ôl ei thymor cyntaf yn y coleg. (Roedd hi'n gwneud cwrs mewn Lletygarwch a Thwristiaeth ym Mryste.) Gwylio'r ffilm mewn tawelwch wnaethon ni, am fod y ddau ohonom yn gwybod bod ein perthynas wedi dod i ben. Hithau, â'i Doc Martens a'i hewinedd du a'i dillad Goth a'i sôn am ffrindiau newydd a gigs yn y coleg ('The Mission, Tom. Ti ddim wedi clywed am The Mission?'). A minnau'n gwynto o *perc* o hyd, meddai, er i mi gael cawod a newid fy nillad.

Gorfod i mi roi'r fideo ar *pause* wedyn i helpu Mam i fynd â Dad i'r tŷ bach.

14

Ddiwedd Medi, symudais ymlaen o adnabod staen i'w drin. Sbotio oedd yr enw ar y driniaeth hon. (Neu, a bod yn fanwl gywir, rhag-sbotio, i wahaniaethu rhwng y broses honno a'r ôl-sbotio a wnaed ar ôl y glanhau.) Dechreuais gyda'r staeniau symlaf. Dangosodd Dad i mi sut i ddefnyddio amonia i ddileu olion llaeth a hufen iâ.

'Gan bwyll bach, nawr. Gweithia miwn o'r ochor … Dyna fe.'

Yna dangosodd i mi sut i ddefnyddio'r *amyl acetate* i lanhau ffrog, lle'r oedd colur a minlliw a phaent ewinedd yn drwch ar hyd y fraich chwith. Dysgais sut i saethu'r dryll stêm er mwyn cael y cemegau i gydio'n well. Ac roedd rhaid i mi fod yn ofalus iawn wrth ymhél â hwnnw am fod y stêm, o'i saethu'n rhy galed, yn gallu distrywio defnydd.

'Tair modfedd, dwedais i. Ddim dwy. Ddim pedair. Tair. Cofia hwnna.'

A pheth anodd oedd mesur tair modfedd wrth ddala dryll a ffrog yr un pryd a cheisio cael gwared â'r diawl staen 'na, a'r stêm yn gwmwl dros bopeth, a phwy sydd â llygaid mor graff fel y gall weld trwy gwmwl?

Gadawyd y gwaed tan y diwedd.

'Y gwaed sy waetha. Jobyn ar y diawl yw cael gwared â gwaed.'

Es i'n ôl at y siaced a dilyn cyfarwyddiadau Dad. Sebon i ddechrau. Cannydd wedyn, dim ond tamaid bach. Yna'r *potassium permanganate*. Tamaid llai fyth o hwnnw, gan ofalu peidio â mynd dros ymyl y staen, a pheidio â rwto'n rhy galed chwaith. Ac roedd fy llygaid yn foddfa o ddagrau erbyn y diwedd, ac aroglau cyn finioced â rasel yn torri trwy'r lle.

'Dwedes i, on'd do? Gwaed sy waetha.'

A hyd yn oed wedyn, o gael gwared â'r staen, a golchi'r defnydd o dan y tap dŵr, a minnau'n teimlo rhyddhad – gorfoledd, bron – wrth weld y defnydd yn lân unwaith eto, doedd hynny ddim yn ddigon.

'Mae'n lân,' meddwn i, a dala'r siaced o'm blaen.

'Mae'n dishgwl yn lân,' meddai Dad. Cydiodd yn y siaced a'i hongian ar y Suzy. Trodd y stêm ymlaen. Chwyddodd y breichiau a'r frest, ac am ychydig eiliadau yr oedd fel petai'r Suzy ddi-ben, ddigalon wedi dod yn fyw. Dadchwyddodd. Tynnodd Dad y siaced o'i gafael.

'Glân?'

Craffais ar y llabedi a nodio fy mhen. 'Glân.'

Ond 'Unwaith eto,' meddai Dad.

Llenwodd Suzy ei hysgyfaint drachefn. Hisiodd ei digofaint. Teimlais wres ei hanadl ar fy wyneb.

'Weli di?'

Craffais eto. Cydiais yn y llabed. Roedd dau o'r smotiau bach rhydlyd wedi dychwelyd.

'Mae e wedi dod 'nôl. Mae'r staen wedi dod 'nôl.'

'Nag yw,' meddai Dad. 'A'th e ddim unman yn y lle cynta. Dim ond cwato roedd e. Whare cwato. Rho swilad arall iddo fe.'

Dysgais y diwrnod hwnnw bod hyd yn oed y glendid mwyaf di-fefl yn gallu troi'n staen o'r newydd, yn gallu codi o farw'n fyw. Ac roedd hynny'n profi, fel y deallais i'n ddiweddarach, bod staen bob amser yn treiddio'n ddyfnach na llygad dyn.

''Co.'

Edrychais ar y siaced, yn fwy petrus erbyn hyn. 'Glân?'

'Ddeith hi ddim yn lanach.'

Weithiau, meddai Dad, roedd yn rhaid i ti ddweud wrth dy gwsmer nad oedd dim gobaith, fod y staen yn rhy ddwfn, bod ei afael yn rhy dynn.

Erbyn diwedd yr wythnos roeddwn i wedi rhoi cynnig ar rag-sbotio dros ugain o wahanol fathau o staen. Yr wythnos wedyn dysgais sut i ddefnyddio'r Spice Junior, gan ddogni'r *perc* yn ofalus yn ôl natur y defnydd a maint yr eitem. Dysgais sut i fynd ynglŷn â'r ôl-sbotio hefyd, a hynny'n orchwyl go drwm, am fod y staen oedd wedi dod trwy'r rhag-sbotio a'r swilo a'r *perc* yn rhwym o fod yn staen eithriadol o ystyfnig. Ac eto pwyll oedd piau hi yn yr achosion hynny hefyd, am fod gormod o rwto a gormod o gemegau a gormod o bopeth yn sicr o wneud mwy o niwed nag o les.

Dysgais i hyn i gyd gan Dad.

15

Aeth Mam â'i frecwast i'r ystafell gefn. Roedd hi eisoes wedi torri'r bacwn, am fod bysedd Dad yn rhy wan i wneud hynny drosto'i hun. Efallai nad oedd hi wedi'i dorri'n ddigon mân; neu efallai iddi orgoginio'r cig a'i wneud yn rhy sych ac yn rhy galed. Ni ddwedodd Mam, ac ni holais: byddai holi wedi awgrymu mai hi oedd ar fai. ('Wedi gwneud y bacwn yn rhy galed eto, Mam?')

Rhyfedd hefyd fod ei fysedd yn rhy eiddil i dorri'r bacwn ac eto gallai godi'r plât cyfan a'i daflu ar draws y stafell. Dyna a glywais i o'r gegin: plât yn bwrw ochr arall y wal y tu ôl i mi. Dau sŵn, felly: sŵn caled, byrbwyll y taro, yna sŵn mwy gwylaidd y cwympo ar y carped. Ni thorrodd y plât. O dorri, buasai'r ergyd yn wahanol, yn fwy ffrwydrol. Byddai fy nghlust wedi clywed y gwahaniaeth. O ble daeth y nerth? Alla i ddim dweud. Dyna natur cynddaredd, siŵr o fod: mae'n cael hyd i nerth o rywle, pan fo'r gelyn wrth y drws. Hen reddf o'r oesoedd cynnar, mae'n debyg. Ond greddf neu beidio, pan glywais i'r plât yn bwrw'r wal, cofiaf i mi feddwl, O na, ddim eto, Dad. Ti wedi gwneud y tric hwnnw o'r blaen. Alli di ddim meddwl am rywbeth arall?

Ddim yr un tric oedd e, wrth gwrs, ddim yn hollol. Taflu cwpan er mwyn taflu cwpan wnaeth e'r tro diwethaf. Taro'r post i'r pared glywed. Y tro hwn, aeth yn syth am y pared. A Mam oedd y pared. O fethu'r nod y tro cyntaf, rhoddodd gynnig arall arni.

Codais a mynd at y drws. Clywais y plât bara'n bwrw'r wal yr ochr draw. Y gyllell a'r fforc ddaeth wedyn. Cwympodd y ddwy ar y plât. Rwy'n cofio meddwl, *Bravo*, Dad. Oherwydd tipyn o gamp oedd taflu'r platiau a'r cytleri yn erbyn y wal, bob yn un, a'u cael nhw i ailymgynnull ar y llawr. Y botel finegr daflodd e nesaf. Honna drawodd Mam. Clywais y *dwmp* bach, ac mae sŵn gwydr ar asgwrn yn wahanol i sŵn llaw: yn lanach, yn fwy cynnil. Ni waeddodd. Ni lefodd. Ni chlywais ddim wedyn, heblaw anadl Dad, mewn a mas, mewn a mas, efallai am ei fod e wedi'i gor-wneud hi; neu efallai am ei fod e'n chwilio am rywbeth arall i'w daflu a doedd ganddo ddim byd wrth law. A ystyriodd y lliain bwrdd, tybed? Cydio mewn un cornel, plwc sydyn, a sarnu'r briwsion hyd y llawr? Cwpl bach o *coasters* hefyd, i gwpla'r job? Go brin. Peth llipa, meddal, benywaidd yw lliain bwrdd, a beth fyddai diben taflu peth fel 'na? Dim ond anadlu, felly. Dyna i gyd wnaeth e. Dyna i gyd oedd ganddo ar ôl i'w daflu: ei wynt. Erbyn meddwl, dwi ddim yn credu iddo daflu ei gwpan. Efallai iddo gofio'r tro diwethaf, y te poeth ar ei war, y staen pitw ar y wal.

Ni soniodd Mam yr un gair am yr ymosodiad. Ond doedd dim angen geiriau. Gadawodd yr ergyd gylch bach coch ar ei thalcen. Gadawodd hithau olion y brecwast gwrthodedig ar y llawr, lle'r oedden nhw wedi cwympo. Buont yno am wythnos gyfan. A phan awn i mewn ar ryw berwyl neu'i gilydd – cael llofnod Dad ar archeb neu anfoneb, gan amlaf – roedd fel ymweld â rhyw ardd goffa, a'r cofebion bach wedi'u gwasgaru hwnt ac yma ar hyd y lle: tafell o dost yn pwyso yn erbyn y sgertin; melynwy wedi caledu a thywyllu ar y papur streips; y plât mawr yn cadw cwmni i'r teledu *portable*, fel na allai wylio'i raglenni heb gael ei atgoffa o'r gyflafan a fu. A hyd yn oed petai wedi penderfynu anwybyddu'r teledu ac yn lle hynny edrych trwy'r ffenest, i ystyried yr ardd a'r blodau a'r adar, erbyn diwedd yr wythnos honno ni allai beidio â chlywed aroglau cyntaf y pydru a'r suro.

Rhyw fore, yr wythnos ganlynol, pan oedd Dad yn bwyta brecwast arall, aeth Mam ati i sgrwbo'r sgertin a sgubo'r llawr a sbwnjo'r wal, a gwneud hynny'n araf, araf, fel na chollai'r un bripsyn. Clywais *wsh wsh* ei glanhau tawel, trylwyr trwy'r wal. Clywais gyllell a fforc Dad, yn codi'r bacwn i'w geg, yn bwdlyd o ufudd. Clywais yr 'ig' yn ei gefn a gwybod bod yr alarch wedi cael hen ddigon.

16

'Mae rhyw gof 'da fi ...'

Roedd Dad yn eistedd yn ei gadair olwyn yn ymyl drws ffrynt y *launderette*, â charthen dros ei goesau. Ar y fainc wrth ei ochr eisteddai Daphne Burns, y fenyw oedd yn byw drws nesaf ac a alwai heibio bron bod dydd er mwyn gofyn i mi agor potel laeth, neu dun, neu ryw gynhwysydd tebyg. 'Achos y gwynegon,' meddai, pan ddôi cwsmer dieithr i mewn, a hithau'n teimlo rheidrwydd i brofi ei *bona fides*.

'Mae rhyw gof 'da fi bod yr eira wedi dod yn gynnar y flwyddyn honno hefyd ...'

Hoffai Daphne gwmni Dad a'i storïau. Fi fyddai'n agor y poteli ond Dad a ddarparai'r diddanwch, petai ar gael. Y gwir amdani, ysywaeth, oedd mai ymwelydd achlysurol yn unig oedd Dad bellach. Ni allai wneud dim o'r gwaith sbotio, oherwydd y gwendid yn ei freichiau a rhyw gryndod oedd wedi gafael yn ei fysedd yn ddiweddar. Roedd hefyd wedi mynd braidd yn oriog yn ei arferion cysgu. Gallai fod ar ddi-hun am ran helaeth o'r nos, yn cwyno am y poenau yn ei gefn, a chysgu trwy'r bore wedyn. Neu, fel arall, byddai'n dihuno gyda'r wawr a mynnu bod Mam a fi yn ei gael yn barod ac yn mynd ag ef i'r *launderette* am fod mynydd o waith papur i'w wneud. Cysgai trwy'r prynhawn wedyn, yng nghefn y siop, rhwng y Spencer a'r Suzy, a chwyrnu'i hochr hi. Byddai'n rhaid i bawb fynd ar flaenau eu traed er mwyn peidio â'i aflonyddu, a pheth anodd oedd hynny mewn lle ac ynddo gymaint o beiriannau, yn troi a swilo, yn troi a sychu, yn troi a throi. Ar ben hynny roedd Dad yn gwisgo cathetr ac roedd bag pisio wedi'i glymu wrth ei goes, ac roedd gofynion newid a gwacáu hwnnw yn cael blaenoriaeth dros bob dyletswydd arall. Unwaith yn unig y bu'n rhaid ei newid yn y siop a doedd neb yn awyddus i fynd trwy'r strach hwnnw eto.

'Daeth yr eira'n gynnar a rhewi'n galed ar y pafin tu fas, a daeth y dyn 'ma miwn, dyn tal a glasys 'da fe …'

A dyna'r tro olaf i mi glywed Dad yn adrodd hanes Eric Morecambe a'r dyn coesau blewog a'r got camel. Siaradodd yn ddigon hyderus hefyd: roedd cynulleidfa wastad yn tynnu'r gorau ohono. '"Sa i'n gwybod ble mae'r un bach," wedodd e. "Chi ddim wedi'i weld e, y'ch chi? Mae coesau blewog 'da fe."' Gwyrodd ei ben, orau y gallai, y ffordd hyn a'r ffordd arall, er cyfleu dryswch y digrifwr. '"Smo fe'n cwato yn un o'r *tumblers* 'ma, ody e? Gadewch i ni weld …"' Dim ond pan geisiodd roi siglad i'w sbectol yr aeth i drafferthion a hynny, yn eironig ddigon, am fod ei fysedd bellach yn siglo trwy'r amser.

Pan ddaeth y stori i ben, ymddiheurodd wrth Daphne a dweud bod rhaid iddo fynd i'r cefn 'i gadw llygad ar bethe'. Rhoddodd winc iddi. Galwodd arna i i hwpo ei gadair. (Roedd ei freichiau'n rhy wan erbyn hyn i droi'r olwynion.) Ond er mai fi oedd yn ei wthio, ar ei dalcen ef yr oedd y chwys. Synnwn at hynny, ac yntau o hyd yn achwyn am yr oerfel. Synnwn hefyd, wedi'i ddodi rhwng y Spencer a'r Suzy, at y cryndod yn ei freichiau a'i ddwylo, a hwnnw'n llawer gwaeth nag arfer, yn union fel petai'n esgus chwarae'r piano ac yn gwneud cawlach bwriadol ohoni, i ddifyrru'i gynulleidfa. Fel roedd Eric Morecambe ei hun yn arfer ei wneud, slawer dydd.

Es ati i ddidoli'r dillad oedd wedi cyrraedd y prynhawn hwnnw a rhoi cychwyn ar y sbotio. Eisteddai Dad wrth fy ochr, yn pendwmpian, yn dod ato'i hun bob hyn a hyn i ddweud 'Rhwd yw hwnna, nage gwaed' a rhyw sylwadau tebyg, cyn mynd yn ôl i gysgu. Gwnes hanner awr o rag-sbotio. Yna rhois lwyth olaf y dydd yn y Spencer a gofyn i Dad gadw llygad arno. Wyddwn i ddim p'un ai cysgu oedd e ai peidio: roedd ei lygaid ar agor ond ddwedodd e'r un gair. Dychwelais i'r siop wedyn i wasanaethu cwsmeriaid. Cefais sgwrs gyda Debbie ynglŷn â rhinweddau'r bwyty Indiaidd ar waelod yr hewl. (Debbie oedd yn gwneud y *service washes* erbyn hyn, ynghyd â rhywfaint o'r smwddio.) Gwenodd yn swil wrth ddweud bod Dennis, ein gyrrwr fan, yn mynd â hi yno ar y penwythnos. Dymunais bob lwc iddi. Aeth adref wedyn.

A byddwn innau wedi troi am adref hefyd, ar ôl gwacáu'r Spencer, ond ffoniodd Mam a gofyn i mi fynd i brynu llaeth a thato a rhyw fanion eraill ar y ffordd yn ôl. Dwedais wrthi yr awn i i'r siop gornel, ym mhen draw'r stryd, i arbed amser, am fod Tesco's yn sobor o fisi'r adeg yna o'r dydd, a rhwng y parcio a'r chwilio a'r ciwio a Dad yn achwyn am ei gefn, byddai siopa'n lleol ar fy mhen fy hun yn arbed llawer o strach.

'Tato Penfro?'

'Mwy o flas 'da'r Kents.'

'Kents amdani, 'te.'

A dyna a wnes. Gwaeddais ar Dad y byddwn i'n ôl mewn deng munud a chloi'r drws y tu ôl i mi.

Ac efallai y byddai wedi bod yn gynt i fynd i Tesco's wedi'r cyfan oherwydd fe'm stopiwyd ddwywaith ar fy ffordd draw i'r siop gornel. Bu'n rhaid i mi sefyll am ddeng munud a gwrando ar Dora Stitch yn disgrifio'i *macular degeneration* a'r driniaeth annymunol roedd hi'n ei derbyn. Cwrddais â Celia Faulkner wedyn a chlywed am lwyddiannau academaidd ei mab. Yna, ar ôl prynu'r llaeth a'r tato a chael clonc gyda Jason, y siopwr, ynglŷn â nodweddion y pum math o dato a oedd ar werth ganddo, penderfynais fynd i'r tafarn lleol am beint bach clou, i dorri fy syched. Doedd hynny ddim yn beth anarferol nac afresymol ar ddiwedd diwrnod caled o waith yng ngwres y *launderette*.

Pan ddes i'n ôl i'r siop roedd Dad, fel y tybiais, yn cysgu'n sownd o hyd. A gallech chi ofyn, Wel, Tomos bach, na sylwest ti fod aroglau'r *perc* yn gryfach nag arfer yn y stafell gefn, yn wir, yn gryfach nag y buon nhw erioed yn y lle hwn, debyg iawn? A byddai hwnnw'n gwestiwn teg, ar yr olwg gyntaf. Ond dyma sydd raid i chi'i gofio: bod arna i annwyd ar y pryd; ac ar ben hynny, er nad oeddwn i ond yn ugain mlwydd oed, yr oeddwn i wedi treulio rhan helaeth o'm hoes fer yng ngŵydd y cemegyn hwnnw a siawns nad oedd ei wenwyn wedi hen ddifetha meinweoedd brau fy nhrwyn ifanc. Bid a fo am hynny, ni sylwais fod dim o'i le nes i mi wthio Dad allan o'r siop a mynd ag ef draw at y car.

'Rhaid i chi ddihuno nawr, Dad,' meddwn, a rhoi pwt

i'w fraich. Ac eto: 'Ni'n mynd gartre nawr, Dad. Dewch ymlaen.' A digwydd bod, roedd Joe Jeffries (perchennog y siop gemist yn y stryd nesaf) yn cerdded heibio ar y pryd, ar ôl cau ei siop yntau am y dydd, ac fe gynigiodd fy helpu, yn yr un modd ag y gwnaethai droeon o'r blaen, ar ddiwedd y prynhawn, a minnau'n stryffaglu i hwpo Dad a'i gadair i'r car.

'Dyw e ddim yn arfer bod mor swrth.'

'Mae golwg 'bach yn welw arno fe heddi, Tom, smo chi'n meddwl?'

Rhois bwt arall i'w fraich a dyna pryd y cwympodd ei ben ymlaen, a'i gorff cyfan wedyn, a bu ond y dim iddo lithro i'r pafin. Fe'i tynnais yn ôl gerfydd ei ysgwyddau.

'Dad?' Dim ateb. Yna, â thinc bach o bryder yn fy llais, 'Dad …?'

''Wna i ffono'r doctor,' meddai Joe.

'Na, na,' meddwn innau, wedi cynhyrfu erbyn hyn. 'Ambiwlans sy isie.'

Ac fe dystiodd Joe Jeffries i hyn i gyd.

Roedd Dad wedi marw, meddai'r meddygon, o ganlyniad i *cardiac arrhythmia induced by epinephrine sensitization.* Ystyr hynny oedd ei fod wedi anadlu dos angheuol o nwyon gwenwynig y *perchloroethylene.* Bu'n rhaid cynnal cwest wedyn, am nad oedd y farwolaeth yn un naturiol. Ar ben hynny, roedd wedi digwydd yn y gweithle, felly roedd angen cymryd ffactorau iechyd a diogelwch i ystyriaeth. Cafwyd hyd i lefelau uchel iawn o'r *perc* yn y gwaed a'r ymennydd. O archwilio'r Spencer a'r peiriannau eraill, gwelwyd bod rhwystr bach (pelen o edafedd) yn y biben y llifai'r solfent drwyddi: roedd y rhwystr hwnnw wedi bod yno ers amser, meddid, gan symud yn raddol, a thyfu'n fwy, a chaledu. Cystwywyd Spick 'n' Span am ei safonau diogelwch llac a diffygion ei oruchwyliaeth o'r peiriannau. Gan mai Dad a fu'n gyfrifol am faterion o'r fath (dangosais y gwaith papur iddynt), barnwyd mai marw trwy ddamwain fu ei hanes.

'Fi sydd ar fai am ei adael e f'yna,' meddwn wrth Mam.

'Nage, nage. Fi sydd ar fai am dy hala di mas i siopa,' meddai Mam.

Aethom â dillad gorau Dad i siop y PDSA ym Mhenarth. Testun cywilydd i Mam oedd y ffaith bod gwynt *perc* yn eu heintio, bob un, fel yr oedd yn heintio popeth a gedwid yn y wardrob a'r dreirau gartref. Ond roedd caredigion yr anifeiliaid anwes yn ddiolchgar am y rhodd. Gan mai crysau gingam a siwmperi a slacs y buasai Dad yn eu gwisgo yn y gwaith, doedd fawr ddim traul i'w gweld ar y Bladen Blazers a'r got camel a'r eitemau smart eraill a gyflwynwyd iddynt; roedd hyd yn oed hen mod-siwt borffor o'r saithdegau fel petai newydd ei thynnu allan o'i phapur sidan. Rhoesom sawl pâr o *brogues* iddynt hefyd: roedd peth traul ar y sodlau (ar y droed chwith, yn bennaf, oherwydd y ffordd gam yr oedd Dad yn cerdded, hyd yn oed cyn iddo gael ei daro'n wael) ond gwrthun gan Mam daflu shws, meddai, a'r rheiny â digon o ledr ynddyn nhw i gerdded i Arberth a 'nôl heb achwyn.

A chan mai i Benarth yr aethom, doedd dim angen i ni egluro dim: roedd gan y dre honno ei sychlanhawyr ei hun ac am wn i nid oedd yr un o'i thrigolion yn gydnabyddus â busnes Endaf Rowlands na'i dranc annhymig. Dwi ddim yn gwadu na fyddai'r Eglwys Newydd neu Heol y Bont-faen wedi bod yn fwy cyfleus. (Ceid digonedd o siopau elusen yno hefyd.) Ond barnodd y ddau ohonom, mae'n debyg, fod angen rhoi mwy o bellter rhyngom ni ac eiddo'r ymadawedig, y gŵr a'r tad fel ei gilydd. Dwedaf 'mae'n debyg' am nad ynganodd na Mam na minnau'r un gair ar y mater. Ond ni chlywid yr un gwrthwynebiad chwaith. Fel y dwedais i o'r blaen, anifeiliaid anwes gafodd y budd o'r rhodd yma; ac os nad oedd Dad yn hoff o'r fath greaduriaid ni wnâi hynny – yn fy achos i, beth bynnag – ond miniogi'r pleser a'r rhyddhad o gael eu gwared.

Cafwyd angladd byr yn yr amlosgfa. Ni allwn fynd oherwydd anhwylder. Rhyw feirws neu'i gilydd. Dwedais wrth Mam na fynnwn darfu ar y gwasanaeth trwy beswch neu fynd yn sâl. Cytunodd. Aeth Daphne Burns i gadw cwmni iddi. Dwedodd hithau y byddai'n gweld eisiau Mr Rowlands a'i storïau ffraeth. 'Storïau ffraeth,' meddai Mam wedyn. 'Dwedodd Daphne y byddai hi'n gweld eisiau ei storïau ffraeth.' A chwerthin. Roedd yn braf gweld Mam yn chwerthin.

Ni chasglwyd y llwch.

17

'Cei di fynd i'r coleg nawr,' meddai Mam.

'Caf,' meddwn innau.

'I 'neud dy gwrs.'

'Ie.'

'Mynd yn bensaer wedyn.'

'Ie.'

'Cael 'neud be' ti moyn 'neud.'

'Mm.'

'Tipyn o arian yn y banc 'da ti erbyn hyn hefyd.'

A hynny i gyd mewn llais oedd yn batrwm o sirioldeb, fel petai hi wedi bod yn sefyll o flaen drych, yn ymarfer ei llinellau.

'Mae'n cymryd amser, cofia,' meddwn i.

'Y coleg?'

'Y coleg. Bwrw prentisiaeth wedyn. Chwilio am swydd. Mae e i gyd yn cymryd amser.'

'Ond y coleg yn gynta. Ei di ddim unman heb fynd i'r coleg.'

Yn batrwm o sirioldeb, ac o resymoldeb hefyd. Rhyw resymoldeb penderfynol, fel petai'n ceisio'i hargyhoeddi ei hun.

'A falle fydda i ddim yn cael mynd i Sheffield, Mam. Achos mae tair blynedd ers y tro diwetha, a falle bydd angen sefyll yr arholiadau eto, a nage dim ond eu sefyll nhw ond gwneud yn well hefyd. A phwy fydd yn rhedeg y busnes wedyn?'

Dwedais hynny, rhaid i mi gyfaddef – i ryw raddau, beth bynnag – er mwyn rhoi sirioldeb Mam ar brawf.

Roeddwn i'n weddol siŵr, erbyn hyn, i mi ganfod cysgodion teimladau mwy tywyll o dan y sylwadau heulog. Chwarae teg iddi, roedd hi wedi cael blynyddoedd o guddio teimladau o'r fath, o orfod esgus bod y byd yn union fel y dylai fod, fel roedd Dad yn dymuno iddo fod. Daethai plygu i ofynion eraill yn ail natur iddi ac anghofiodd sut i siarad â'i thafod ei hun.

'Y busnes?' meddai.

'Pwy fydd yn gwneud 'y ngwaith i?'

'Mae'n ddigon hawdd cael rheolwr i mewn.'

Ateb parod eto. Rhy barod o'r hanner. Roedd hi wedi rhagweld y cwestiwn hwn hefyd: wedi bod yn pryderu am ddim byd arall, siŵr o fod, ers yr angladd.

'Hawdd?' meddwn innau.

'Gallwn i feddwl 'ny.' Yn hwyliog i gyd.

'Rhywun fyddet ti'n 'i drysto?'

'Wel ...'

'Rhywun sy'n mynd i fildo'r busnes lan, fel ro'dd Dad a fi yn 'neud, nage dim ond pocedu'i bae ar ddiwedd y mis a dim ots am ddim byd arall?'

Ystyriodd hyn. Buom wrthi wedyn, fi a Mam, am rai munudau, yn mynd trwy ddefod y perswâd a'r gwrth-berswâd. Cynigiais gyfaddawd. Byddwn i'n darparu hyfforddiant i Debbie, meddwn. Câi hithau gymryd mwy o gyfrifoldeb. Ac yna, ymhen blwyddyn, petai popeth yn mynd yn hwylus ... Parhâi Mam i brotestio. Doedd hi ddim am fy ngweld yn bradu fy nghyfle, meddai. Ond roedd hi'n gwybod erbyn hynny bod y mater wedi'i setlo. Derbyniodd nad oedd dim amdani, er mwyn diogelu'r busnes, ond gohirio'r coleg am flwyddyn arall. Heb fod yn angharedig, credaf iddi wneud gormod o sioe o'i phrotest. Doedd dim angen iddi: doedd gen i mo'r galon i'w siomi, ddim o dan yr amgylchiadau.

'Dim ond am flwyddyn,' meddwn, yn ddigon didaro. 'A beth yw blwyddyn?'

Ysgydwodd ei phen. Tynhaodd ei gwefusau. 'Dwi ddim yn siŵr, Tomos. Dwi ddim yn siŵr o gwbl.'

Gwisgodd fantell ei gwrthwynebiad hyd y diwedd. Cadwodd ei hunan-barch.

Span' wedi troi'n felltith. Gwelwn ryw olwg anghynnes ar bobl wrth iddynt gerdded heibio, golwg 'Beth yw'r gwynt drwg 'na?' Bron na allwn i eu clywed yn sibrwd y tu ôl i'w dyrnau: 'Fan 'co ga'th be' chi'n galw 'i ladd, yntife, yn yr hen Spick 'n' Span 'na?' Ac yn poeri'r 'Spick 'n' Span', yn union fel petaen ni yn yr un cae â Burke and Hare neu Bonnie and Clyde. Gallwn i dyngu i mi glywed plant yn bloeddio rhigwm un tro ar eu ffordd adref o'r ysgol: 'Spick 'n' Span, Sick in a Pan. Spick 'n' Span, Sick in a Pan.'

Sunshine Cleaners oedd yr enw newydd a ddewisais. Delwedd gadarnhaol sydd gan sychlanhawyr, i fod. 'Rhown fywyd newydd i'ch dillad a thrwy eich dillad, rhown fywyd newydd i chithau hefyd.' Ac fe gawsom fenthyg yr haul i roi help llaw i ni wrth gyrchu'r nod hwnnw. Prynais arwydd newydd hefyd, a llun o'r haul arno, a hwnnw'n gwenu o glust i glust. 'Gyda'n gilydd cawn fwrw ymaith gysgod angau.' Dyna oedd byrdwn ei wên. Gan fod y siop yn wynebu'r de, roedd pelydrau'r haul ei hun yn goleuo'r arwydd ar ddiwrnodau braf, ac yn amenio'i addewid.

Cefais wared â'r hen *perc*. Yn ei le prynais solfent newydd o'r enw *Decamethylcyclopentasiloxane*. Ni wnâi hwnnw ddolur i bilipala. Bues i ychydig yn betrus ynglŷn â hysbysebu'r newid hwn. Tybiwn mai cam gwag fyddai cyfeirio at y *perc*, hyd yn oed wrth sôn am ei wahardd o'r lle. Byddai hynny'n rhy debyg i gyfaddefiad. 'Nid ydym yn gwenwyno pobl mwyach.' Doedd dim diben i mi grybwyll y *decamethylcyclopentasiloxane* chwaith: fyddai neb callach, ac roeddwn i'n rhyw synhwyro y byddai'r gair hwnnw, i'r anwybodus, lawn mor fygythiol â *perchloroethylene* – neu'n fwy felly, am ei fod yn hirach, a hefyd am fod ynddo rywbeth a ymdebygai i *cyclops*. Gall pobl fod yn ofergoelus ynglŷn â phethau o'r fath, pethau nad ydyn nhw'n eu deall yn iawn. Diau fod y gwneuthurwyr wedi dod i'r un casgliad a dyna pam cafodd yr enw 'Green Earth' ei ddyfeisio. Diolch amdano. Rhois boster yn y ffenest, a'r tu mewn hefyd, yn ymyl y cownter, yn brolio nodweddion gwyrdd ein solfent newydd. *Green Earth Cleaners*, meddai hwnnw. *Help us be kinder to our planet*. Yna, yn ei gwt, ychwanegais y geiriau: *ODOUR-FREE!* Argraffwyd taflenni, a'r un geiriau arnynt hwythau, a'u dosbarthu trwy'r gymdogaeth. Cynigiwyd gostyngiadau.

Yn bwysicaf oll, tynnais waliau mewnol y siop i lawr. O hynny ymlaen, ni allai neb ddweud, 'Fan 'co. Trwy'r drws 'na. 'Na le mogodd yr hen Endaf Rowlands.' Roedd y 'fan 'co' honno wedi diflannu am byth. Wedi cael gwared â'r waliau es ati i ail-greu'r cyfan ar gynllun agored, fel mai dim ond gwydr a wahanai'r mannau cyhoeddus oddi wrth y mannau dirgel cynt. Byd tryloyw oedd y byd newydd hwn. Nid oedd dim ynddo na allai'r cwsmer ei weld: y Suzys a'r Spencers, y byrddau sbotio, y dillad ar eu hangeri a'r cwbl. Ac erbyn hynny yr oedd mwy o'r cyfryw bethau i'w gweld nag erioed o'r blaen oherwydd, gyda'r arian a adawodd Dad yn ei ewyllys, codais estyniad yn y cefn a'i lenwi â pheiriannau newydd. Tipyn o fenter oedd hyn i gyd, i ddiniweityn ym myd busnes, ond barnwn nad oedd dim a ddenai lwyddiant cystal â llwyddiant ei hun. Dyma gyflwyno rhyw lun o'r llwyddiant a ddeisyfem ger bron y byd, felly, gan hyderu y dygai ffrwyth maes o law.

Ond yn goron ar y cyfan, ymfalchïais yn y ffaith mai fi a luniodd y briff i'r adeiladwyr ar gyfer creu'r estyniad bach hwn. Fi wnaeth y mesuriadau. Fi roddodd gyfarwyddiadau i'r trydanwyr ynglŷn â ble i osod y tyrau newydd ar gyfer oeri'r dŵr. Ar ôl gwaith paratoi dygn a manwl, fi luniodd y system blymio hefyd, gan sicrhau bod yr hen bibau a'r rhai newydd yn cydgysylltu'n effeithiol. Ac yn hynny o beth, ac mewn ffordd gwbl annisgwyl, gallwn haeru i mi gyflawni fy nghomisiwn pensaernïol cyntaf. Doedd dim gwahaniaeth mai fy nghomisiynu fi fy hun wnes i. Roedd safon y gwaith i'w weld gan bawb. Ac roedd boddhad cwsmer yn well prawf o'm llwyddiant na'r un radd prifysgol.

Cymerodd chwe blynedd i gael y busnes yn ôl ar ei draed. Dyma rai o'r pethau a wnes i yn ystod y chwe blynedd hynny.

Aeth Mam, fi a Mam-gu i angladd Dad-cu yn Arberth. Symudodd Mam-gu atom i fyw, ynghyd â'i dwy gath, ei seld a'r jygiau porslen a etifeddodd gan ei mam-gu hithau.

Cefais berthynas fyrhoedlog gyda merch o'r enw Rachel Williams a oedd yn gwneud y *service washes* am ychydig wythnosau tra oedd ar ei gwyliau o'r Coleg Cerdd a Drama. Y piano oedd offeryn Rachel. Ysgrifennai farddoniaeth hefyd. Gwrthodai aros yn ein tŷ ni am fod Mam a Mam-gu yno, yn glustiau i gyd. Treuliais ychydig nosweithiau yn ei fflat yn y Rhath, ond *futon* oedd y gwely yno. Roedd hwn yn dda at garu, ond yn arteithiol i'm cefn a phrin y gallwn symud erbyn y bore. Cawsom benwythnos ym Mharis ac ymweld â Thŵr Eiffel a'r Louvre. Treuliasom benwythnos yn Sir Benfro hefyd.

Es ati i ymestyn fy addysg bensaernïol. Astudiais nifer

fawr o destunau, yn eu plith *A History of Architecture on the Comparative Method* gan Banister Fletcher ac *Architectural Design Drawing: A Visual Compendium of Types and Methods* gan Rendow Yee. (Treuliais lawer noswaith yn ymarfer y dulliau hyn ar fwrdd y gegin.) Cefais flas hefyd ar *Tesla: Man Out of Time* gan Margaret Cheney a *The Building Stones of Cardiff* gan John W. Perkins.

Darllenais yn helaeth am y cyfryngau cymdeithasol yn ogystal, am fod angen hyrwyddo'r busnes ar y we. Sefydlais wefan a chael dros bum cant o *hits* yn y mis cyntaf. Soniais yno am Eric Morecambe, 'un o'n cwsmeriaid cyntaf'. Rhois linc i'r gân 'Bring Me Sunshine'.

Yn y drydedd flwyddyn, penderfynais brynu lle i fyw. Treuliais dair blynedd arall yn chwilio am dŷ addas, yn cynilo ar gyfer y blaendal, yn cysuro Mam na fyddwn i'n mynd ymhell. Ar ddiwedd y chweched flwyddyn, cefais lwyddiant.

2

Mae popeth yn gwneud sŵn. Mae modd clywed pob sŵn hefyd, hyd yn oed y sŵn lleiaf oll, o fod â chlust ddigon main. Ac o feinio'r glust i'r eithaf, dyna ddwndwr byddarol yw'r bywyd hwn yn ei grynswth, ddydd a nos, yn bell ac yn agos, o'i ddechrau hyd ei ddiwedd.

Ond mae gwahaniaeth rhwng clywed synau a'u deall. Soniais o'r blaen am fynd ar gefn beic gydag Elinor a chlywed y car rhithiol. Cefais brofiad tebyg gyda Rachel, draw yn Sir Benfro. Buom yn aros mewn gwesty bach syml ond cyffyrddus ar bwys Porth-gain. Roeddwn i'n edrych ymlaen at ddilyn y llwybrau at rai o'r aberoedd hardd gerllaw, ac yn enwedig Traeth Llyfn. Rhaid cyfaddef nad oedd Rachel yn hoff iawn o gerdded, yn enwedig yn y gwres. Ni chafodd ddim pleser o ddringo'r llwybr allan o'r pentref, na disgyn y grisiau serth a arweiniai at y traeth hwnnw. Ond doedd hi ddim yn hoffi prysurdeb Porth-gain chwaith na'i naws ôl-ddiwydiannol. Hoffai dawelwch. Ac yn hynny o beth, o leiaf, roedd gennym rywbeth yn gyffredin. Cynigiais iddi'r traeth tawelaf yng Nghymru, a'r un mwyaf difrycheulyd, heb heol na chyfleuster na hufen iâ yn agos iddo.

Buom yno am ddwy awr, ar Draeth Llyfn, yn gwneud ein gorau i fwynhau'r llonyddwch, a hwnnw'n llonyddwch cymharol, wrth gwrs, am fod y tonnau'n pendilio'n ôl ac ymlaen yn y cefndir o hyd, yn cynnal eu curiad diog ond anffaeledig. Erbyn diwedd y ddwy awr roedd y môr wedi cilio i'w derfyn eithaf fel mai prin y gellid ei glywed. Ac eto fe arhosai, yn y tywod, ryw adlais o'i bresenoldeb: sŵn hisian rhwng y gronynnau, fel petai pob diferyn yn lleisio ei ddigofaint wrth y fam-fôr am ei amddifadu.

'Sŵn y traeth yn sychu mas,' meddai Rachel. 'Fel 'se'r tywod yn llio'i wefusau wrth ddisgwyl am y llanw nesa.'

Ac fe gytunais â hi, am fod sôn am y tywod yn llio'i wefusau'n beth barddonol i'w ddweud, yn beth teilwng o rywun oedd â'i bryd ar fod yn artist. Ond dyw siarad yn farddonol ddim yn golygu bod rhywun yn dweud y gwir. I Rachel, doedd yr hisian ond yn rhan fach o'r sgwrs barhaus rhwng y tir a'r môr, rhyw amrywiad pellach ar y llonyddwch cynt, tawelwch amherffaith y tonnau a'u suo cysglyd. Syniad pert. A syniad cwbl gyfeiliornus. Does a wnelo'r môr ddim oll â'r *sssssssss*.

Brenigen yw achos y *sssssssss*: math cyffredin o folwsg. Rhywbeth tebyg i hwn.

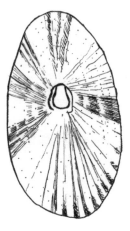

Nid y creadur cyfan sy'n hisian, wrth gwrs. Ac nid hisian yw'r gair cywir chwaith, er y byddai'r glust yn tyngu mai dyna y mae'n ei glywed. Sŵn dannedd yw hwn, yn crafu am fwyd yn y tywod. Sŵn asgwrn yn ymrafael â silica. Ac ar yr olwg gyntaf, peth digon syfrdanol yw hynny, am fod pob dant mor fach. Byddai deg ohonynt gyda'i gilydd tua'r un maint ag atalnod llawn, fel hyn:

.

A hyd yn oed petai dyn yn mynd ar ei bedwar a sodro'i glust wrth y traeth, rwy'n amau a fyddai'n clywed crensian y deg dant hynny. Peth ffodus, felly, fod gan bob molwsg dros fil ohonynt. Yn wir, bron na allech chi ddweud mai dannedd yw swm a sylwedd y creadur hwn, ac mai gwasanaethu'r dannedd yw dyletswydd pob rhan arall o'i gorff.

Roedd miloedd o'r brennig, y prynhawn heulog hwnnw, ar Draeth Llyfn yn Sir Benfro, yn cnoi'r tywod, yn hisian yn ein clustiau, yn chwalu'r tawelwch.

'Tyn dy sbecs.'

Cofiwn y geiriau. Wrth eistedd yn y lolfa gyda Mam a Mam-gu, bron na allwn eu clywed nhw hefyd, am fod gan glustiau eu cof eu hunain. Ac roedd fel petai'r llaw yn taro'r foch o hyd, a'r sŵn yn hongian yno yn yr awyr, rhywle rhwng fy nghadair a'r tân. *Shp … Shp … Shp …* A bu ond y dim i mi ofyn, 'Wyt ti'n ei glywed e hefyd, Mam? Gad i fi droi'r teledu i lawr, i ti gael gwrando'n iawn.' Ond byddai hynny wedi bod yn greulon.

Beth bynnag, nid clywed wnaeth Mam y tro cyntaf, neu nid clywed yn unig, nac yn bennaf. Gweld y llaw wnaeth Mam y tro hwnnw, yna ei theimlo hi, a buasai dwyn i gof y teimlo a'r gweld a'r clywed i gyd wedi bod yn drech na hi. Caredicach, felly, gadael iddi fod, yn ei chadair esmwyth, yn gwylio *Eastenders*, yn dygymod â phoendodau mwy cartrefol, mwy diniwed. Eisteddai Mam-gu wrth ei hochr, gan dorri ar draws o bryd i'w gilydd i ofyn, 'Beth wedodd hwnna? Tro fe lan, wnei di, 'wy'n ffaelu clywed dim.' Cwynai am sŵn y traffig wedyn, yn enwedig pan ddôi'r bysus heibio, neu'r cryts ifanc a'u *woofers*. 'Ti ddim wedi cyfarwyddo, Mam,' meddai Mam. 'Fe ddoi di i arfer.'

Ond byddai Mam hithau'n digalonni weithiau ac yn

rhoi un o'i CDs ymlaen. Pavarotti, Carreras a Bergonzi oedd ei ffefrynnau o hyd. Dyn bob amser, wrth gwrs: doedd ganddi gynnig i sopranos. 'Fel sgrech gŵydd,' meddai Mam. Roedd Mam-gu'r un peth. 'Fel hen drwli-trwli,' meddai. Llais dyn oedd ei angen i fygu sŵn y bysus a'r *woofers* a'r tawelwch a'r cwbl. I fygu sŵn y llaw yn taro'r foch hefyd, am wn i, a'r llais arall hwnnw, 'Tyn dy sbecs, 'nei di,' oedd yn dweud wrthi fod y llaw ar ei ffordd. Rhaid mygu hwnna hefyd, a rhoi yn ei le lais dyn fel roedd e i fod, yn llawn adar ac addewid a'r gân yr un peth bob tro a byth yn ei bradychu ac yn aros yn ei focs bach du a hithau'n gallu troi'r botwm yn ôl ei dymuniad, *On/ Off,*
On/ Off.

'Mam, ife fel 'na mae hi? Ife dyna pam rwyt ti'n gwrando ar Bergonzi? A beth wyt ti'n ei glywed pan nad oes neb yn canu a does dim bysus tu fas a dim *woofers* yn mynd heibio?'

Ond creulondeb fuasai gofyn cwestiwn o'r fath.

Peth braf yw hynny, cofiwch, pan fo'r synau i gyd mewn cydbwysedd, a'r llais yn taro'r glust yn gywir fel mae e i fod. Roedd gan Vitruvius bennod ar yr union destun hwnnw, sef y gelfyddyd o gynllunio adeilad fel y bydd y glust bob amser yn clywed yr hyn a ddywed y geg, dim mwy a dim llai. 'A gentle fall' oedd ei angen, meddai, i sicrhau bod y llais yn symud yn esmwyth, heb fynd yn sownd yn y llenni a'r carpedi a'r celfi; heb iddo ddrybowndian yn erbyn y to a'r welydd chwaith, a'i ystumio a'i suro nes bod y gwrandawr yn methu dioddef dim mwy.

Gwaetha'r modd, doedd gan Vitruvius ddim i'w

ddweud wrtha i am dawelwch. Perffeithio sŵn, nid ei fygu, oedd amcan pensaer Cesar. Yn y diwedd, ac yn rhyfedd ddigon, nid Mam a blygodd dan ormes y dwndwr ond fi. Roedd gan Mam ei theledu a'i Bergonzi. Efallai fod conan Mam-gu o ryw gymorth hefyd, fel mantra yn y cefndir, neu adlais o suo-gân ei babandod. Cafodd hyd i synau derbyniol, rhyw ddogn bach crintachlyd o berseinedd. Deisyfwn innau bensaernïaeth lawer mwy mentrus nag eiddo Vitruvius. A pherffeithio tawelwch, nid sŵn, oedd hanfod y bensaernïaeth honno.

Pan af i i'r coleg a chael fy hyfforddi'n bensaer o'r iawn ryw, diau y bydda i'n treulio cryn amser yn y llyfrgell er mwyn ceisio darganfod gofynion pensaernïaeth tawelwch. Bydda i'n ymgynghori â'r arbenigwyr ac yn mynd ati i ddysgu'r dechneg briodol ar gyfer gosod welydd a lloriau fel na fydd crafiadau'r dannedd bach pigog yn gallu fy nghythruddo ddim mwy. Ac o fethu â darganfod y fath wyddor, bydd rhaid i mi ei chreu. Dyna fydd fy uchelgais. Fy nghenhadaeth.

Ni ddaeth y cyfle hwnnw eto. Ond yn y cyfamser, fel tamaid i aros pryd, neu fel rhyw fan aros ar gyfer disgwyl y bywyd amgenach, mwy cyflawn, cefais hyd i loches dros dro, a hynny mewn lle digon annisgwyl. Yn groes i'r graen yr es i i weld fflat rhif 44 yn y Felin. Fues i ddim ar gyfyl y lle er pan oeddwn i'n ddisgybl yn yr ysgol, wyth mlynedd ynghynt, ac yn dyst i'r malu a'r chwalu a'r dwndwr mawr. Lle i ryfeddu ato, nid i fyw ynddo, oedd y Felin yr adeg honno. Ac o'i chofio felly, peth rhyfedd, yn wir, i ddyn a grefai dawelwch, oedd ystyried ymgartrefu yno. Pam, felly, y dewisais ddilyn yr union lwybr hwnnw? Am fod pob ymdrech arall wedi methu. Hynny, yn sicr. Llefydd swnllyd a welais yn Grangetown a Threganna a'r Sblot a phob man arall. Ond hyn hefyd. Cefais lun o'r Felin ar ei newydd wedd gan yr asiant tai, a manylion am fflat oedd ar werth yno. Y wal grom a welid yn y llun hwn. Roedd sglein ryfeddol arni. Golchwyd y baw i gyd i ffwrdd. Ychwanegwyd mynedfa urddasol. Tyfai coed bob ochr iddi. Na, doedd arna i ddim awydd byw yno, ddim eto, ond plannwyd hedyn chwilfrydedd ynof. Roedd y sglein allanol yn drawiadol, ond mwy diddorol o lawer, i ddarpar bensaer a gofiai'r diberfeddu a fu, oedd y gweddnewid mewnol na welid dim ohono yn y llun. Sut roedd yr hen le wedi goroesi'r fath drais? Sut roedd tafod ei boen a'i gynddaredd wedi cael ei dawelu? A sut cafodd y tafod lais newydd wedyn, llais mor waraidd a mwyn? Cwestiynau pensaernïol oedd y rhain, bob un.

Ac fe aeth fy chwilfrydedd yn drech na mi.

Merch hynaws o gyffiniau Port Talbot, yn ôl ei hacen, a'm tywysodd trwy'r fflat yn y Felin, neu 'The Old Mill', fel yr ymddangosai ar y daflen. Nid yn y fflat ei hun, fodd bynnag, y dechreuwyd y daith. Cyn cymryd y lifft i'r pedwerydd llawr, aethom i weld yr atriwm. Ac efallai fod hwn yn haeddu gair o eglurhad. Ar hyd muriau allanol y Felin yn unig – sef, tair ochr y triongl – yr adeiladwyd y fflatiau, er mwyn i'r perchnogion gael golwg ar y byd a'i bethau. Lle dihafal fu'r ogof fawr yn y canol ar gyfer malu blawd a chrasu bisgedi, dwi ddim yn amau, ond prin fyddai'i hatyniadau i'r sawl a fynnai gartref cyffyrddus, modern a golau. Pwy fyddai'n dymuno prynu fflat heb ffenest?

A dyma ddod wyneb yn wyneb â phroblem bensaernïol ddigon cyffredin y dyddiau hyn, wrth i ni geisio troi adeiladau diwydiannol o'r oes o'r blaen yn dai annedd pwrpasol. Rhaid dofi'r bwystfil. Rhaid tynnu'i ddannedd. Mae cyfaddawdu'n anochel, wrth gwrs. Yn achos y Felin, siawns nad yr atriwm oedd yr enghraifft orau o'r cyfaddawd hwnnw. Dim ond yn y to yr oedd ffenest i'w chael, a honno'n dangos dim i neb ond golau'r dydd. (A düwch y nos hefyd, mae'n debyg, pan ddelai hwnnw.) Dodwyd planhigion trofannol yma a thraw, gan gynnwys cawr o goeden yucca, i leddfu ar y gwacter. Ceid meinciau pren yno hefyd, ond doedd neb yn eistedd arnynt ddiwrnod fy ymweliad. Golygfa drist oedd hon, ar un olwg, a phob arwydd o'r gweithgarwch cynt wedi ildio i ryw dlysni estron, arwynebol. Ar y llaw arall, rhaid i mi gyfaddef i mi gael fy swyno, o'r cychwyn cyntaf, gan y gofod hwn. Cofiwn sylwadau Vitruvius. Yr atriwm, meddai, oedd calon cartref y bonheddwr Rhufeinig, yn fan cyfeillachu i'r sawl a drigai yno a'r rhai y dymunent estyn nawdd iddynt: lle i encilio iddo, ond lle hefyd a allai hwyluso eich ffordd yn y byd. Os mai gwacter oedd hwn, yna gwacter llawn gobaith ac addewid oedd e.

Y gamp bensaernïol, wrth gwrs, oedd wrth wraidd fy hoffter o'r atriwm. Gwyrth, mewn gwirionedd, oedd creu'r fath ofod o'r felin a welswn gynt, a'i myrdd o loriau a muriau a thrawstiau. Ac efallai mai dim ond pensaer a fyddai'n llawn ymwybodol o oblygiadau'r trawsffurfiad hwnnw. Er mwyn creu atriwm o'r iawn ryw, sef gofod nad oes dim yn amharu ar ei wacter pur a chyflawn, bu'n rhaid cael gwared â'r hen drawstiau i gyd. Gan mai'r rhain a fu'n cynnal yr adeilad – yn dosbarthu'r pwysau rhwng un llawr a'r llall, yn rhwystro'r welydd rhag gwyro allan, yn clymu'r cwbl ynghyd – nid peth hawdd fuasai gwneud iawn am eu colli. Beth wnaeth y penseiri i gyflawni'r wyrth honno? Rhywbeth na allai neb mo'i weld, mae'n rhaid. Ac roedd hynny'n beth amheuthun hefyd; oherwydd celfyddyd yr anweledig yw celfyddyd pensaernïaeth yn y bôn.

Aethom i'r fflat. Gadawodd y ferch lonydd i mi gerdded o stafell i stafell, wrth fy mhwysau, heb ddim o'r malu awyr a gewch chi weithiau gan bobl o'r fath. Ar ôl canfod bod y trawstiau wedi cael eu haberthu er mwyn creu'r atriwm, tipyn o syndod wedyn oedd gweld bod y colofnau haearn wedi goroesi. Yr oedd pedair o'r rhain yn y fflat hon yn unig: un yn y lolfa, un yn y gegin, un yn y stafell ymolchi a'r llall yn y brif stafell wely. Ai'r rhain oedd yn gwneud iawn am golli'r trawstiau? A drosglwyddwyd y pwysau rywsut o'r naill i'r llall? Os felly, roedd hynny'n gamp a hanner. Sefais. Edmygais. A phetasai'r pensaer a fu'n gyfrifol am yr orchest hon yn bresennol y prynhawn hwnnw, byddwn wedi ysgwyd ei law a'i longyfarch.

Ni allwn lai na gwenu chwaith wrth ystyried sut roedd y cewri hyn o'r gorffennol wedi'u caethiwo bellach mewn cilfachau mor dwt. Ac eto, rywsut, ni wnâi'r cyfuniad anghymharus hwn ond tynnu mwy o sylw at eu gogoniant. Perthynai'r colofnau haearn i fyd arall, byd hynafol nad oedd neb eto wedi llwyddo i'w wastrodi'n llwyr. Ymwthiai'r byd hwnnw o hyd trwy'r llawr, i ganol y celfi a'r mân siarad. Rhois gnoc â'm dwrn i'r golofn yn y lolfa er mwyn clywed llais un a fu'n trigo yma ers y dechrau. Rhaid cyfaddef i mi gael fy siomi na ddaeth ymateb mwy clochaidd, mwy teilwng o'i rhwysg.

Synnais hefyd fod y datblygwyr wedi mynnu galw'r lle yn felin o hyd. Adwaenid yr ardal hon bellach fel 'Little Venice' a byddai dyn yn disgwyl, efallai, y bydden nhw wedi ailfedyddio'r adeilad i dynnu sylw at y gamlas gyfagos a'r atyniadau dwrllyd eraill a geid yn y cyffiniau. Ond 'The Old Mill' a orfu. Roedden nhw siŵr o fod yn gobeithio deffro rhyw hiraeth am felinau gwynt yn hytrach na ffatri fisgedi. Erbyn meddwl, onid oes llun gan Monet sy'n dwyn y ddwy ynghyd, y felin wynt a'r gamlas? Dyna oedd mewn golwg ganddynt, mae'n debyg: creu delwedd o lonyddwch perffaith, rhywbeth mor encilgar, ymataliol â phaent ar ganfas.

'Mae'n dawel 'ma.'

Ac fe synnais at hyfdra fy llais fy hun, yn tarfu ar y distawrwydd.

Gofynnais i'r ferch o Bort Talbot sefyll yn y gegin wedyn a pheswch pan glywai gnoc. Es innau i'r lolfa a chau'r drws. Rhois ddyrnod i'r wal. Pan na ddaeth ymateb, rhois gnoc arall. Yn y diwedd bu'n rhaid i mi fynd yn ôl i'r gegin er mwyn atgoffa fy nhywysydd o'r drefn. Oedd, roedd hi wedi peswch, meddai, yn unol â'r trefniant. Clywodd y gnoc a pheswch. Pesychodd ddwywaith. Ac fe besychodd eto, yn y fan a'r lle, i brofi ei geirwiredd: pesychiad uchel, ond gyddfol hefyd, y math o beswch a fyddai'n eich cadw ar ddi-hun yn oriau mân y bore, nid dim ond o'i glywed, ond o *ddisgwyl* ei glywed. Ac fe'm plesiwyd yn fawr. Roedd y welydd o'm plaid. Byddent yn lapio'u tawelwch amdanaf.

'Un prawf arall?' meddwn, ac agor ffenest y lolfa, dim ond hanner modfedd. Llifodd y sŵn i mewn gyda'r awel: hisian olwynion ar yr heolydd gwlyb, chwyrnu hofrenydd draw uwchben y Bae, traed lonciwr yn taro llwybr y gamlas islaw, a rhyngddynt i gyd, murmur aneglur y ddinas yn y pellter. Caeais y ffenest. Lladdwyd y cwbl. Trodd y byd yn fudan.

'Y'ch chi'n clywed rhywbeth?'

Ysgydwodd y ferch o Bort Talbot ei phen. Daliais fy anadl. Credaf iddi hithau wneud yr un peth. Daeth yr hofrenydd draw a chylchu to'r Felin, nes mai ei gynffon yn unig y gallwn ei gweld. Ac roedd fel hofrenydd mewn llun, hofrenydd o baent, heb sŵn na sylwedd.

3

Symudais i'm cartref newydd yn y Felin, yn ardal Fenis Fach, ar brynhawn gwlyb a gwyntog ym mis Ebrill. Er gwaetha'r glaw a'r awydd i gael trefn ar bethau, sefais am ychydig y tu allan i'r hen adeilad er mwyn edmygu ei fawredd unwaith yn rhagor. Yn ddiarwybod i mi, efallai, yr oedd y felin fawr o oes fwy uchelgeisiol wedi troi'n ymgorfforiad o'm dyheadau i fy hun. Yna, er bod y gwynt yn dal i chwipio'r glaw i'm hwyneb, es i i gefn yr adeilad, oherwydd dim ond o'r fan honno, yn ymyl y gamlas, y gallwn i edrych i fyny a gweld ffenestri fy fflat a gwybod bod fy nghartref newydd, er mor ddi-nod, ddirodres ydoedd, yn cyfranogi o gadernid y cyfan. Yma cawn loches rhag hyrddiadau'r gwynt a ffrydiau'r glaw mwyaf penderfynol.

Wedi cymryd y lifft i'r pedwerydd llawr ac agor drws y fflat, es i'n syth at ffenest y lolfa. Edrychais ar y gamlas islaw. Edrychais ar y môr yn y pellter. Edrychais ar y bont faen a groesai'r gamlas, a gwybod, er mai *pastiche* digon llwm o'r Fenis go iawn oedd yr olygfa hon, ei bod eto, heddiw, yn tra-rhagori ar y gwreiddiol. Dyna a ddisgwylid yn Fenis, wedi'r cyfan: harddwch braf ond treuliedig, tlysni byrhoedlog gwyliau haf. Yma, ynghanol adfeilion diwydiannol dociau Caerdydd, yr oedd y nodweddion hyn i gyd yn feiddgar o anghydnaws ac annisgwyl.

Es ati i ddadbacio: offer y gegin yn gyntaf, yna'r dillad. Wedi cael trefn ar y pethau hyn, trois fy sylw at y celfi. Celfi o dŷ Mam oedd y rhain, gan fwyaf, a phreswylwyr anfoddog oedd llawer ohonynt. Nogio roedden nhw, rwy'n credu, o gael eu symud o'u cynefin bras i le mor gyfyng. Roedd y bwrdd coffi yn rhy fawr i'r gegin, a bu'n rhaid ei adael ar ganol y lolfa, gyda'r bwrdd cinio. Anodd hefyd oedd rhoi'r cadeiriau mewn mannau pwrpasol, lle gallent fanteisio ar yr olygfa. Roedd y ffenest braidd yn uchel a phrin fod modd gweld dim trwyddi heb godi ar fy nhraed. Ar ben hynny, wal grom a redai ar hyd yr ochr yma o'r lolfa a doedd dim modd gosod y silffoedd na'r *sideboard* na'r system sain yn ei herbyn heb adael bwlch anghynnes ei olwg. Rhan o wal grom fawr yr adeilad ei hun oedd hon, wrth gwrs, ac felly yn un o'r nodweddion pensaernïol trawiadol a'm denodd at yr adeilad yn y lle cyntaf. Ond, am ryw reswm, fe weithiai'n well ar y tu allan nag ar y tu mewn: ar raddfa fawr, gallai atgoffa dyn o furiau crwn, gogoneddus y Coliseum neu'r Albert Hall; yma, wedi'i chwtogi a'i hamgylchynu gan feddalwedd un fuchedd fach, ymddangosai'n hurt a braidd yn ymhonnus.

Yn y diwedd, aeth y celfi i gyd ar yr ochr syth. Sefais yn ôl ac ystyried y trefniant newydd. Edrychai'n chwithig, yn anghytbwys. Eisteddais i lawr am bum munud ac ystyried ymhellach. O dipyn i beth, perswadiais fy hun fod hyd yn oed yr anghydbwysedd hwn, o'i ddeall yn iawn, yn gallu bod yn gaffaeliad. Nid fel cartref y bwriadwyd yr adeilad, wedi'r cyfan, a doedd dim disgwyl iddo ufuddhau i'r rheolau domestig arferol. I'r gwrthwyneb, onid braint oedd cael bwrw gwreiddiau newydd mewn lle a fu gynt mor hanfodol anghartrefol? Roedd fel meddiannu erw o anialwch a'i throi'n werddon. 'Fe ddaw,' meddwn wrthyf fi fy hun.

Yn yr un ysbryd, wrth fynd i'r gegin i wneud cwpanaid o goffi, des i i'r casgliad mai yma, mae'n rhaid, y buon nhw'n dadlwytho'r grawn. Yma, ym mhen pellaf yr adeilad, ar bwys y gamlas, ar bwys y rheilffordd hefyd, serch bod honna wedi diflannu ers blynyddoedd, y bu'r peiriannau trymion yn codi'r sacheidiau a'u trosglwyddo i'r felin. Rhaid bod mwy nag un hoist i'w gael i ddygymod â'r fath lwyth. Rhaid bod yma drawstiau praff a niferus i ddala'r hoistiau. A pha syndod, felly, bod angen cymaint o golofnau i gynnal y cwbl? Cefais foddhad o ddod yn rhan o'r hanes hwnnw.

Rhois gnoc â'm dwrn i'r golofn haearn, fel rhyw ffordd o'm hailgyflwyno fy hun iddi, o ddweud fy mod i wedi dychwelyd ac yn dymuno'n dda iddi, oherwydd cymdogion fydden ni o hyn ymlaen. Wrth ddisgwyl i'r tegil ferwi, es i i'r lolfa a'r stafell wely a'r stafell ymolchi a gwneud yr un peth i'r colofnau yno. Maddeuais iddynt eu diffyg perseinedd. Doedd dim disgwyl i bileri o'r fath ganu: pileri gwaith oedden nhw, nid clychau. A phenderfynais mai fel pileri y byddwn i'n eu hadnabod o hynny ymlaen. Doedd gan biler ddim o'r rhwysg clasurol a berthynai i golofn. Go brin y byddai Vitruvius wedi cael hyd i'w *gentle fall* ymhlith y rhain, na brolio'u harddwch wrth Gesar. Pileri diymhongar oedden nhw bellach. Pileri talfyredig. Ac eto, er hynny, roedden nhw'n meddu ar ryw nerth tawel, ac roeddwn i'n falch o'u cwmni.

Eisteddais i lawr a dechrau yfed fy nghoffi. Codais eto. Rhois ddyrnod bach arall i bob un o'm cymdogion haearn. Ceisiais fenthyca cyfran o'r nerth tawel hwnnw.

4

Dihunais am ddeng munud wedi pump y bore. Doeddwn i ddim yn siŵr p'un ai'r golau anghyfarwydd yn y ffenest ynteu fy nghefn tost oedd yn gyfrifol am hynny. Roedd y fatras yn weddol newydd ac efallai nad oeddwn i wedi cael amser i gynefino eto. Trois ar fy ochr. Cefais bwl arall o boen. Codais a mynd at y ffenest. Hofrenydd oedd ffynhonnell y golau. Gallwn ei weld draw uwchben yr hen Butetown. Dilynais ei olau wrth iddo gilio i gyfeiriad y ddinas. Edrychais draw ar y ddinas ei hun wedyn, a'i gwawl meddal, ac yna ar y gamlas islaw, lle'r oedd goleuni pŵl y lampau'n taflu sglein ar ddüwch y dŵr. Ymhen munud neu ddwy, daeth yr hofrenydd yn ôl. Teithiwr mud oedd e o hyd. Nid oedd yr un sŵn i'w glywed, heblaw fy anadl fy hun, a bysedd fy nhraed yn mwytho'r carped.

Gosodais fy nghlust dde wrth y gwydr, a'i thynnu'n ôl mewn syndod. Gwnes yr un peth â'm clust chwith, a rhyfeddu eto. Yno, yn y bwlch cul rhwng un cwarel a'r llall, roedd ysgyrnygu'r hofrenydd wedi cael ei ddal a'i gywasgu. Roedd hefyd, rywsut, o'i gaethiwo felly, wedi cael ei chwyddo. Chwyddodd fy nghlust. Aeth y ffenest a'm clust yn un. Erbyn hyn roedd fel petai propelor yr hofrenydd yn troi oddi mewn i'm penglog. Tynnais fy mhen yn ôl. Adferwyd y tawelwch cynt. Trodd y teithiwr yn fudan eto, ei olau'n pledu düwch y nos heb darfu dim ar y glust. Sut roedd hynny'n bosibl? Os oedd y sŵn wedi dod trwy'r cwarel cyntaf, pam felly na fyddai wedi treiddio trwy'r llall? Beth oedd yn ei gadw yno, yn ei gaethiwed, yn gwibio'n ôl ac ymlaen fel pysgodyn aur mewn bowlen?

Rhois gledr fy llaw ar y gwydr a cheisio canfod y dirgryniadau. Ni theimlais ddim byd heblaw pyls y gwaed yn fy mysedd. Es i'n ôl i'r gwely a gorwedd yno, yn ddigwsg, yn gwylio'r golau'n mynd ac yn dod, yn teimlo'r poen yn fy nghefn, yn ystyried a ddylwn i chwilio am fatras arall, ac yn ceisio cofio erbyn pryd yr oedd angen dychwelyd y fatras hon er mwyn cael fy arian yn ôl. Ac efallai, wedyn, petawn i'n gorwedd ar fy ochr chwith …

A dyna sut yr es i'n ôl i gysgu, i gyfeiliant y llais yn fy mhen, yn morio trwy'r dyfroedd tawel, a'r golau'n cilio i'r nos.

Cyrhaeddais y gwaith ychydig ar ôl naw o'r gloch fore trannoeth. Ymddiheurais wrth Debbie, fy nghynorthwyydd, am fod yn hwyr. Bu'n fwy o daith nag a ddisgwyliwn, meddwn. Fe ddeuwn ar y beic yfory. Neu godi ynghynt, wrth gwrs. Ni fyddwn mor flinedig, efallai, a'r holl waith dadbacio wedi'i wneud. Holodd, o ran cwrteisi, am y fflat newydd. Estynnais iddi'r ystrydebau cwrtais disgwyliedig. Cadwodd weddill y dydd Llun hwnnw at y patrwm arferol. Daeth Dennis y gyrrwr fan i mewn i ymofyn ei daflen waith. Cyrhaeddodd y cwsmeriaid cyntaf â'u bagiau du. Didolwyd dillad. Rhag-sbotiwyd staeniau. Ni ddaeth neb o bwys i mewn, ond doedd dim ots am hynny: gwaed yw gwaed, chwys yw chwys, ni waeth pwy a'i piau. Cyfrwng democrataidd yw baw.

Rhag-sbotiais ddeunaw dilledyn y diwrnod hwnnw. Cyfrifoldeb Debbie oedd trosglwyddo'r rhain i'r peiriannau sychlanhau. Hi hefyd oedd yn gofalu am y *service washes*. Daeth dwy ferch arall i mewn yn y prynhawn: un i helpu gyda'r llwyth o ddillad a gyrhaeddodd ar fan Dennis a'r llall i wneud y smwddio a'r pacio. Dilyn y drefn: dyna a wnes i. Dyna i gyd yr oedd angen ei wneud.

Roedd dydd Mawrth yn ddigon tebyg i ddydd Llun, heblaw fy mod i wedi mynd i dŷ Mam am ychydig yn yr hwyr, i gadw cwmni iddi. Ond roedd ei chwaer draw o Gaerfyrddin, felly doedd dim angen aros yn hir. Wedi dychwelyd adref, es i i'r lolfa ac agor potel o Brains Dark a gwylio ffilm o'r enw *Who's Harry Crumb* ar y teledu. Mwynheais sŵn yr ewyn yn setlo ar wyneb y cwrw, sŵn fel gwefusau bach yn agor a chau.

A gellid dweud bod hynny'n weddol agos ati fel disgrifiad o'r mis nesaf yn ei grynswth: fel ewyn yn setlo ar wyneb cwrw, a hwnnw'n rhoi cusan fach i mi wrth ei lymeitian. Mis diffwdan oedd e; mis o ddiwydrwydd tawel, digyffro. Yna, rhyw nos Wener neu'i gilydd, a minnau wedi yfed dwy botel o Dark, bu'n rhaid i mi godi yng nghanol y nos a mynd i'r tŷ bach. Gallwn wneud hynny heb brin agor fy llygaid bellach, am fod y stafelloedd – fel a ddisgwylid mewn fflat – i gyd ar yr un llawr. Pan ddes i'n ôl i'r gwely, felly, roedd fy llygaid eisoes yn cilio i fyd breuddwydion. Y clustiau a'm cadwodd ar ddi-hun. Neu, a bod yn fanwl gywir, y clustiau a'r pibau, a'r sŵn a symudai rhyngddynt.

Gair byr am y sŵn hwnnw. Bob hyn a hyn, ac yn enwedig amser brecwast, yn y gegin a'r stafell ymolchi, byddwn i'n clywed sŵn dŵr yn llifo: sŵn bach diymhongar, ond sŵn annisgwyl, a hwnnw'n fwy amlwg oherwydd y mudandod mawr a'i hamgylchynai. 'Whiw, whiw.' Fel gwth bach o awel trwy'r coed. Neu chwythu aer trwy fysedd tyn. Rhyw hisian tenau wedi'i wisgo mewn siaced fetel. Ond os mai peth digon diafael oedd y sŵn, doedd dim amheuaeth gen i ynglŷn â'i achos. Roedd rhywun yn cael cawod mewn fflat arall, neu'n rhedeg bàth, neu'n troi'r peiriant golchi ymlaen. Adlais pell o'r weithred honno a glywn i. Dyna oedd byrdwn y sŵn yn y pibau.

Cyfaddefaf i mi deimlo braidd yn ddig pan glywais y sŵn hwnnw am y tro cyntaf a sylweddoli nad mudan difrycheulyd oedd fy fflat wedi'r cyfan. Tresmaswr oedd y sibrwd metelaidd, a pha hawl oedd ganddo i darfu arnaf heb wahoddiad? Wrth i'r wythnosau fynd heibio, fodd bynnag, fe ddes i'n fwy cyfarwydd â'r ymweliadau hyn, ac yn fwy goddefgar hefyd. Dyna oedd natur plymio: doedd dim modd gwahanu pibau oddi wrth ei gilydd, ddim yn gyfan gwbl, hyd yn oed mewn bloc o fflatiau newydd. Rhaid iddynt gydblethu a chroesgysylltu er mwyn gwneud eu priod waith, boed dynnu dŵr o'r *mains* neu'i ollwng allan eto. Ac yn hynny o beth, doedden nhw ddim yn wahanol iawn i bibau nwy, neu wifrau trydan, dim ond eu bod nhw ryw damaid bach mwy swnllyd. A dyna fe. Roedd y pibau i gyd yn rhan o'r drefn. Yn y diwedd, gallaf ddweud yn ddigon diffuant i mi ddechrau croesawu eu cyfarchiad gwylaidd: cynigiodd ddolen gyswllt i fyd y Felin, ond heb agor drws iddo chwaith.

Ond nid amser brecwast oedd hi y tro arbennig hwnnw. Ac onid peth rhyfedd oedd rhedeg bàth, neu olchi dillad, am dri o'r gloch y bore? Codais a mynd yn ôl i'r stafell ymolchi, gan feddwl fy mod i wedi gadael y drws ar agor a bod y sŵn, rhywsut, yn tarddu o'r fan honno. Ond roedd y drws wedi'i gau. Fe'i hagorais, gan ddisgwyl darganfod bod y sibrwd bach gwylaidd cynt wedi troi'n rhu aflafar. Doedd dim i'w glywed. Fe'i caeais drachefn. Sefais yn y pasej a gwrando. Am ychydig, ni chlywn i ddim ond fy anadl fy hun. A bues i'n meddwl wedyn, tybed ai dyna'r cyfan a glywswn o'r blaen? Ai fy ysgyfaint oedd gwraidd y sŵn estron? Ai tawelwch y nos a'm twyllodd? Ac ai dim ond un glust fawr oedd y byd cyfan o un pegwn i'r llall?

Daliais fy anadl. Dechreuodd y sŵn eto. *Whiw, whiw.* Peidiodd eto. Tynnais anadl. Ailddechreuodd. *Whiw, whiw.* A dyna pryd y sylweddolais nad y pibau oedd gwraidd y sibrwd hwn wedi'r cyfan. Roedd gan y pibau ddannedd a thafod: rhai metel, caled. Nid felly'r newydd-ddyfodiad. Rhyw sibrwd mantach oedd gan hwnnw. Ac erbyn meddwl, credaf mai camgymeriad oedd defnyddio'r gair 'sibrwd' yn y lle cyntaf. Nid sibrwd mo'r sŵn plygeiniol yma. Ymdebygai, yn hytrach, i riddfan tawel. Ni ddôi o'r geg. Ni ddôi o'r ysgyfaint chwaith. Codai yn hytrach o waelodion y cylla. *Whiw, whiw.* Ac er mai sŵn bach, bach oedd e, nid oedd dim gwyleidd-dra yn ei gylch.

Es i i ganol fy stafell wely. Sefais rhwng y gwely a'r piler a gwrando. Trois fy mhen y ffordd yma, yna'r ffordd arall. Camais yn nes at y drws. Camais yn nes at y ffenest. Dychwelais at y piler a rhoi fy nghlust yn sownd wrtho. Aeth y griddfan yn uwch. Magodd led a dyfnder. *Neow ... neow ...* Ac am funud, petai rhywun wedi dod trwy'r drws a'm gweld yn sefyll yno a'm clust wrth y piler, diau y byddai wedi tybio mai'r piler ei hun oedd yr ymwelydd dirgel. Byddai wedi dyfalu, efallai, nad dieithryn mohono, ond hen gyfaill – hen gariad, hyd yn oed – oherwydd am ba reswm arall y byddai dyn a philer yn cofleidio'i gilydd gyda'r fath angerdd?

Neow ... neow ...

Trodd y griddfan yn wich. Trodd y wich yn waedd.

Ie ... Ie ... Ie ...

A myfi oedd y tresmaswr bellach. Tynnais fy nghlust yn ôl. Ymddiriedais i'r piler ei riddfannau cariadus ei hun. Dychwelais i'm gwely a gorwedd yno. Yn lle cyfrif defaid, ceisiais ddyfalu pa mor bell y gallai synau serch drafaelu trwy haearn.

5

Yn ystod yr wythnosau nesaf gwelwyd y llewyrch tymhorol arferol yn Sunshine Cleaners. Roedd pawb, ac yn enwedig plant, yn gwisgo amrywiaeth helaethach o ddillad wrth godi o hirgwsg y gaeaf; a thrwy wisgo mwy o ddillad yr oedd, yn naturiol, fwy o ddillad i'w golchi wedyn. Bu cynnydd hefyd yn y galw am sychlanhau, wrth i fenywod (ac ambell ddyn) dynnu dillad haf o'r wardrob a pharatoi ar gyfer gwyliau tramor neu briodas neu seremoni raddio. Roedd y gwanwyn bob amser yn cerdded law yn llaw â glendid a sglein.

Croesawn y prysurdeb hwn. Ac eto, o bryd i'w gilydd, dôi eitemau mwy ystyfnig na'i gilydd i law, a gallai hynny beri rhwystredigaeth, am fod amser yn brin. Byddai'r anwybodus a'r diamynedd yn golchi dillad anghydnaws gyda'i gilydd ac yna'n ceisio eu glanhau nhw eu hunain a gwneud cawlach ohoni. Neu, fel arall, byddai dillad a roddwyd i gadw ym mis Tachwedd, yn forwynol ddihalog, yn cael eu hatgyfodi yn y gwanwyn â brychni afiach drostynt, fel petaent wedi bod yn mentro allan liw nos ar eu pennau eu hunain a bustachu trwy'r llwch a'r baw.

Ar ddydd Gwener olaf mis Ebrill daeth dyn parchus, canol oed i mewn i'r siop, â'i siaced wlân ddrud yn yr union gyflwr hwnnw, yn smotiau bach i gyd dros y coler a'r ysgwyddau. 'Rhwd,' meddai'r dyn, fel petai'n awdurdod ar bethau o'r fath. 'Ffaelu deall o ble daeth e.' Bues i wrthi am awr gyfan yn ceisio canfod p'un ai rhwd o'r iawn ryw oedd y staeniau hyn ynteu rhywbeth arall a oedd yn efelychu staeniau o'r fath: siwgwr llosg, er enghraifft, neu *benzoyl peroxide*. Ystyriais ffonio'r perchennog a gofyn tybed a oedd ganddo fab yn ei arddegau. Ac os felly, a oedd hwnnw'n blorynnog? Ac os oedd yn blorynnog, a oedd e'n defnyddio meddyginiaeth at y cyflwr hwnnw? Rhyw eli, efallai? *Benzoyl peroxide*, o bosibl? Ac o dderbyn atebion cadarnhaol i'r cwestiynau hyn, a gafodd y mab fenthyg y siaced ar ryw achlysur neu'i gilydd? ('Ydych chi'n siŵr? Heb i chi wybod, efallai?') Byddai sgwrs felly wedi setlo'r mater unwaith ac am byth. Ond ni allwn i feddwl am ffordd o eirio fy nghwestiynau heb ymddangos yn fusneslyd. Yr oedd terfyn hyd yn oed ar hawl y sychlanhawr i fentro i gilfachau mwy preifat bywyd ei gwsmer. Gellid holi am staeniau bwyd a diod. Gellid holi am waed, hyd yn oed, os oedd y staeniau'n ddigon bach ac mewn mannau diniwed, megis blaen crys. Ond siawns nad oedd moddion acne yn perthyn i'r categorïau gwaharddedig, ynghyd â chyfog ac allyriadau eraill y corff dynol.

Wedi pwyso a mesur, ac ar fy ngwaethaf, gwisgais fy menig rwber a thynnu o'r cwpwrdd botel o doddiant glanhau arbennig o gryf a gedwid ar gyfer trin y staeniau mwyaf cyndyn. Taenais ddiferyn dros un o'r brychau bach a'i rwto'n ofalus gydag ysbodol blastig. Daliodd ei dir. Fe'i rwtais eto. Dim. Ystyriais ffonio'r dyn a gofyn – nage, awgrymu – efallai iddo ddefnyddio cannydd i gael gwared â'r staeniau, oherwydd byddai hynny wedi cloi'r rhwd yn y defnydd ac ni fyddai symud arno tan ddydd y farn. Byddwn i wedi pwysleisio wedyn bod angen trin cannydd gyda'r gofal mwyaf, a dyna drueni, colli siaced o'r fath ansawdd oherwydd ychydig o smotiau ar y coler.

Rhois gynnig arall arni. Y tro hwn – diolch i'r drefn – gwelwodd y rhwd. Toddodd bob yn damaid. Daliais ati a glanhau pob staen arall yn yr un modd.

Ac eto, efallai nad oedd yr achos hwnnw, ar ei ben ei hun, yn gwbl eithriadol chwaith. Oeddwn, roeddwn i wedi bod yn fwy beiddgar nag arfer. Ond roedd angen mentro weithiau. Yn wir, roedd anawsterau o'r fath yn gymaint rhan o'm gwaith ag yr oedd coler yn rhan o grys. Ar y pryd, ni fu'r ymladd â'r rhwd ystyfnig namyn gorchwyl ffwdanus a lyncai fwy o amser nag y gallwn ei fforddio. Yr hyn a ddigwyddodd drannoeth a thrennydd a'm siglodd i'r byw. Dim ond yn ddiweddarach y dechreuais i deimlo bod gan y rhwd hwnnw ystyr a phwysigrwydd wedi'r cyfan; mai rhyw fath o ddrwgargoel oedd e, a phetawn i wedi cymryd mwy o sylw ohono, efallai na fyddai fy mywyd wedi mynd ar gyfeiliorn fel y gwnaeth.

6

Alla i ddim honni i mi gyfarwyddo â'r griddfan yn y piler, heb sôn am ei groesawu. Peth anweddus fyddai hynny. Voyeuraidd. Neu beth bynnag yw'r gair cyfatebol ar gyfer y clustiau. Mae'n dda gen i ddweud, felly, mai ymwelydd anfynych oedd e, ac o ddod yn yr oriau mân, fel y gwnaeth y noson gyntaf honno, ac fel y gwnâi wedyn, am wn i, bob hyn a hyn, roeddwn i gan amlaf yn ymochel dan orchudd cwsg ac nis clywn. Gan y byddwn yn mynd i'r gwely'n weddol gynnar, ac yn cwympo i gysgu'n ddisymwth, ni fu'n llawer o boendod i mi.

Ar y llaw arall, o ganfod bod y piler hwn yn gyfrwng i synau estron, anodd wedyn oedd peidio â dyfalu ynglŷn â nodweddion y pileri eraill. A oedd gan y rheiny leisiau hefyd? Ac os felly, ym mha iaith y siaradai'r lleisiau hynny, ac ar ba destunau? Os mai ebychiadau serch a lenwai biler y stafell wely, ai clindarddach llwyau a chwpanau a geid trwy biler y gegin? A beth am y stafell ymolchi wedyn? Rhyw feddwl oeddwn i, mae'n debyg, mai gwell fyddai gwybod y gwaethaf ac ymbaratoi ar ei gyfer. Er y gallwn ddygymod â griddfan achlysurol, ni fyddwn o reidrwydd yn estyn yr un goddefgarwch i dresmaswyr eraill. Gwell eu tynnu o'u cuddfan, felly. Trwy eu hadnabod, gellid eu diarfogi. Dyna sut yr ymresymwn.

Rhyw fore Sul, a Sunshine Cleaners yn nwylo Debbie a'i chynorthwywyr, es i i'r gegin a rhoi fy nghlust wrth y piler yno. Ni chlywais ddim byd heblaw'r gwaed yn cylchu yn fy mhen. Gwnes i'r un peth gyda'r piler yn y lolfa ac ennyn yr un distawrwydd. Ac er bod sŵn a distawrwydd yn bethau cyferbyniol, fe benderfynais mai distawrwydd oedd gwir lais yr haearn y bore hwnnw. Yr hyn a glywn oedd llond piler o ddim. Fe'i trawais yn ysgafn â'm dwrn. Cefais yr ateb anfoddog arferol. Doedd y Felin ddim yn dymuno siarad heddiw. Ac fe'm bodlonwyd.

Cefais frecwast ysgafn: un dafell o dost, banana, a choffi cryf. Yna, am ei bod yn heulog a gwyntoedd y noson gynt wedi gostegu, es i am dro ar y beic, gan ddilyn y llwybr trwy'r Bae a chroesi'r morglawdd newydd i Benarth. Dringais y tyle serth a mynd am ganol y dre, gan feddwl swmera yno am ychydig a chael cwpanaid yn un o'r caffis cyn troi am adref. Ond roedd yr haul a'r adrenalin, rhyngddynt, wedi cynllwynio i roi adenydd i mi. Yn lle stopio, felly, es i drwy'r dre ac allan i gyfeiriad Larnog, gan ddilyn y llwybr caregog uwchben y clogwyni. Erbyn hynny, roedd sawl un arall wedi mentro allan i fwynhau'r gwres boreol. Derbyniais gyfarchion diolchgar gan rai, wrth glywed fy nghloch a'i deunod hwyliog. Cefais sgwrs ag amryw ohonynt: am gyflwr y llwybr, am yr olygfa o'r ynysoedd draw tua'r de, a rhyw bethau cyffelyb. Yna, wedi cyrraedd llynnoedd Cosmeston, eisteddais ar un o'r meinciau yno ac yfed dracht o ddŵr. Daeth ci ataf i gael maldod. Siaradais â'r ci ac yna â'r fenyw ifanc a oedd yn berchen arno: rhyw glonc hamddenol am yr elyrch a'u cywion ar y llyn, a sut roedd y cywion hynny wedi prifio'n syndod o glou; a throi at y ddau filidowcar a oedd yn sefyll yn yr hesg draw ar y lan bellaf, yn sychu eu hadenydd yn yr haul.

Dychwelais adref, wedi blino braidd ond yn llawen fy nghalon. Cefais gawod. Yna paratois ychydig o basta a'i fwyta o flaen y teledu. Cwympais i gysgu'n fuan wedyn, ac o gysgu'n rhy hir, dihunais â chefn tost a phen mor ysgafn a diafael â balŵn. Codais yn rhy gyflym a gwneud i'r balŵn woblo'n druenus, y ffordd hyn a'r ffordd arall, a bu'n rhaid i mi bwyso yn erbyn y piler er mwyn sadio fy hun. O bwyso felly, trwy ryfedd wyrth, fe drodd y balŵn yn fagned bach, a chafodd y magned hwnnw ei dynnu gan rym diwrthdro'r haearn, fel nad oedd gan fy nghlust ddim dewis ond ei sodro'i hun wrth yr oerni caled.

A byddai'n deg dweud, efallai, mai dwli yw hwnna

i gyd, busnes y balŵn a'r magned. Wrth gwrs bod gen i ddewis. Byddai'n deg gofyn hefyd pam yn y byd y dewisais ymrafael â'r diawl piler yna eto, a minnau eisoes wedi tynnu dim ond diddymdra ohono chwe awr ynghynt. Ond dyna'r pwynt: chwe awr yn ôl oedd hynny, ben bore dydd Sul, a phwy allai ddweud bod y dydd yn aros yr un peth ar ei hyd, bod y piler hwn yn parhau'n fudan, fore a phrynhawn fel ei gilydd? Na, doedd un prawf ddim yn ddigon. Rhaid rhoi cynnig arall arni.

Ac i ddechrau, fe dybiwn mai'r balŵn diafael, anwadal hwnnw oedd yn chwarae mig â'm clust pan glywais, o grombil y piler, sŵn na chlywswn o'r blaen: dim sibrwd na griddfan na gwichian na gweiddi ond, yn hytrach, ryw fath o chwerthin plentynnaidd. Dywedaf 'rhyw fath' am mai dim ond un pwl byr o'r sŵn hwnnw a glywais, fel diferion glaw ar do sinc. Yna, o sodro fy mhen yn dynnach wrth yr haearn, daeth sŵn arall, yn hyrddiad sydyn o ebychiadau, nid annhebyg i gyfarth ci. Tybiwn i ddechrau mai penchwibandod oedd achos y naill sŵn a'r llall, oherwydd i mi gysgu'n rhy hir ac yn rhy drwm. Olion rhyw freuddwyd oedden nhw, efallai, wedi mynd yn sownd yn y tympanwm; ci bach anystywallt yn crafu twll yn y pen.

Bu'n rhaid i mi aros am funud gyfan cyn clywed y pwl nesaf o chwerthin, a hwnnw rywfaint yn hirach na'r un blaenorol, ac yn pendilio'n ôl ac ymlaen, rhwng yr uchel a'r dim-cweit-mor-uchel, nes i mi sylweddoli nad un llais a glywn ond dau: weithiau'n ddeuawd cytûn, dro arall yn ddau lais ar wahân. Daeth y geiriau wedyn, dim ond mwmial aneglur, fel petai'r cytseiniaid wedi mynd allan am dro gan adael i'r llafariaid ymorol drostyn nhw eu hunain. 'Aa ... Wya ... Oie ... A-ŵ ... A-ŵ ...?' A rhagor o chwerthin.

Cerddais yn araf o amgylch y piler, â'm clust yn sownd wrtho o hyd, gan obeithio y dôi'r lleisiau'n fwy eglur o fynd atynt o onglau gwahanol. Cefais siom. Es i ar fy mhenliniau, gan feddwl efallai fod y cytseiniaid wedi cael eu dal yno, ymhlith y bolltau a'r rhybedi a glymai'r piler wrth y llawr. Ond roedd y nam ar leferydd yr haearn yn waeth nag erioed: doedd dim ar ôl ond llyfedu tenau pitw. Yna, wedi pwslo ychydig, des i i'r casgliad efallai nad oddi isod y dôi'r lleisiau wedi'r cyfan. Cam gwag oedd ceisio eu cwrso trwy'r llawr, gan feddwl bod sŵn bob amser yn codi. Dyna oedd y delfryd, yn sicr: dyna y ceisiodd Vitruvius ei berffeithio wrth fesur y *gentle fall* rhwng y glust a'r llais. Ond gallai synau symud y ffordd arall hefyd. A thrwy biler? A allai piler haearn hwyluso'r symud hwnnw?

Gan gofleidio'r posibilrwydd newydd hwn, es i i'r gegin i ymofyn stôl. Yn anffodus, roedd honno'n rhy isel ac fe gefais fy hun ryw droedfedd yn fyr o'r nenfwd. Doedd gen i ddim ysgol. A oedd gan un o'm cymdogion ysgol? Ni feiddiwn ofyn. Er mwyn ennill y droedfedd ychwanegol honno, felly, bu'n rhaid i mi ddefnyddio un o'r blychau mawr plastig yr oeddwn i wedi'u benthyca o Sunshine Cleaners ar gyfer symud fy eiddo i'r fflat. Safai hwn ym mhen draw'r pasej o hyd, a'i lond o lyfrau, gan nad oeddwn eto wedi llwyddo i gael silffoedd a fyddai'n ffitio yn erbyn y wal grom. Tynnais y llyfrau allan a'u gadael ar y llawr. Es i â'r blwch plastig i'r lolfa a dodi'r stôl arno. Camp nid bychan wedyn oedd dringo i ben y stôl, gan ei bod bellach yn gyfysgwydd â mi, a gorfod i mi ymofyn stôl arall, a dringo i ben honno'n gyntaf, a chamu o'r naill i'r llall. A champ fwy mentrus fyth oedd honno, am fod y blwch plastig, er ei gryfed, hefyd yn llithrig. Gafaelais yn dynn yn y piler.

Erbyn hynny, ysywaeth, wrth i mi osod fy nghlust, orau y gallwn, yn yr ongl gyfyng rhwng y piler a'r nenfwd, roedd y chwerthin wedi peidio. Sefais yno am ychydig, ar ben y stôl, gan ewyllysio'r haearn i siarad â mi. Parhâi'n fudan. Disgynnais, ac roedd y disgyn yn dipyn mwy o her hyd yn oed na'r dringo i fyny, a minnau'n fwy sigledig o'r hanner. Rhois gynnig arall arni hanner awr yn ddiweddarach, gyda'r un canlyniad; ac eto, cyn noswylio. A glywais beswch? Efallai. Rhyw glirio llwnc, o bosibl. Diflannu wnaeth, fel seren wib.

Daeth y bore. Dringais i ben y stôl. A dyna pryd y clywais fy nghytseiniaid cyntaf. Gorfoleddais. Llais dyn oedd yn siarad, ac efallai mai dyna oedd yr esboniad. Trigai llais dyn ar donfedd wahanol i lais menyw: un galetach, fwy caregog, tonfedd y gellid cloddio llythrennau caled ohoni. Syniad hurt yw hynny, rwy'n siŵr, i'r rhai sy'n hyddysg yn y maes hwn, ond dyna sut mae meddwl dyn yn gweithio am saith y bore. Ac yn gam neu'n gymwys roedd cyplysu dyn â chytseiniaid caregog i'w weld yn beth priodol a naturiol. Onid sŵn gwrywaidd yw cytsain yn ei hanfod? Onid llafariaid llyfn a chymodlon sy'n nodweddu lleferydd menyw? Roedd y dyn hwn, y dyn cytseiniol, yn sefyll yn agos at y piler. Roedd y menywod a glywais gynt yn sefyll ymhellach i ffwrdd, yn y cefndir llafarog. Dyna sut roedd dehongli pethau.

Ar brydiau byddai'r cytseiniaid a'r chwerthin yn cyd-daro. Dro arall, cadwent ar wahân, y naill yn parchu annibyniaeth y llall. Ac i ddechrau roedd hynny i'w weld yn beth rhesymol: byddai'r dyn yn adrodd stori ddoniol a'r fenyw'n ymateb. Byddai yntau'n dal ati wedyn, yn ennyn gwerthfawrogiad pellach, a hynny heb oedi, yn null *stand-ups* erioed, gan odro cymeradwyaeth ei gynulleidfa hyd yr eithaf. Yna dôi'r chwerthin i stop. Yn ei le clywid rhyw siarad ling-di-long, fel petai'r fenyw'n cerdded o gwmpas ei stafell, yn nesáu at y piler, yna'n pellhau oddi wrtho. Gwnes lun ohoni yn fy meddwl, yn siarad ar ei ffôn symudol: bron na allwn i weld ei dwylo'n gwneud ystumiau yn yr awyr. A thrwy hyn i gyd doedd dim pall ar glebran y cytseiniaid. Rhygnai'r dyn yn ei flaen yn ddiflino, bron na ddywedwn i'n ddifater, heb glywed dim o barabl y fenyw.

A deallais. Deallais nad un byd o synau oedd hyn ond dau. Doedd y dyn a'r fenyw ddim yn siarad â'i gilydd. Doedden nhw ddim yn yr un stafell, nac ar yr un llawr. Efallai nad oedd y naill hyd yn oed yn nabod y llall. Dieithriaid oedd y cytseiniaid a'r llafariaid. Yn y piler yn unig y daethai eu lleisiau ynghyd. Hen gelwyddgi oedd yr haearn bwrw. A doeddwn i ddim gwell o wrando ar ei ddwli.

7

Gair am y dillad 'hwyr'.

Yn ôl fy arfer ar ddydd Gwener, es i drwy'r dillad nad oedd eu perchnogion wedi'u casglu o fewn y mis a ganiateid iddynt. Gan amlaf, doedd dim angen i mi roi llawer o sylw i'r dillad 'hwyr' yma. Cyfrifoldeb Debbie oedd gofalu amdanynt. Bob wythnos byddai hi'n edrych ar y cyfrifiadur ac yn ychwanegu eitemau newydd i'r rêl 'hwyr'. Roedd hawl gennym i gael gwared â nhw wedyn. Ystyr hynny, gan amlaf, oedd mynd â'r dillad i'r Oxfam lleol, neu siop elusen gyffelyb. Roedd y telerau hyn wedi'u hargraffu'n glir ar y dderbynneb, fel na allai neb gwyno iddyn nhw gael cam. Er hynny, byddai un ohonom wastad yn codi'r ffôn o leiaf unwaith ar ôl i'r mis ddod i ben, er mwyn procio cof y cwsmer rhag ofn mai salwch neu ddryswch henaint neu ryw amgylchiadau tebyg fu'n gyfrifol am ei esgeulustod.

Rhaid i mi gyfaddef, wrth fynd heibio, mai testun cryn syndod, ar ein rhan ni i gyd, oedd nifer yr eitemau a adawyd felly. Hyd yn oed pan ofynnai rhywun am y gwasanaeth brys, a thalu'n ychwanegol amdano, doedd dim sicrwydd y dôi i hawlio ei eiddo. Gydag amser, dechreuais amau ai ffrwyth esgeulustod oedd y dillad amddifad hyn wedi'r cyfan. Dechreuais gredu, hyd yn oed, mai ffordd o esgymuno dilledyn ffieiddiedig o fywyd rhywun oedd mynd ag ef at y sychlanhawyr a'i adael yno. Ni fyddai'r cwsmer yn cydnabod hynny, wrth gwrs – anrhegion drud oedd llawer o'r eitemau hyn – ond dyna roedd rhyw lais bach cudd yn yr isymwybod yn ei ddweud:

'Fuoch chi erioed yn hoff o'r ffrog 'na. Mae'n rhy debyg i ffrog hon a hon, yr hen fitsh. Na, cael ei gwared sydd orau. Fe deimlwch chi'n well wedyn.'

Rhaid talu am y gwasanaeth hwn, wrth reswm. Ond roedd hynny siŵr o fod yn gwneud y weithred yn fwy derbyniol: rhoddai hawl foesol i'r sawl a dalai'r pris i ffarwelio â'r dilledyn gwrthodedig heb deimlo'n rhy euog. Ac yn sicr, o ran arbed teimladau'r dilledyn ei hun, roedd yn dynged fwy gweddus na chael ei roi yn syth i'r siop elusen. Math o hosbis i ddillad gwrthun oedd y *launderette*, yn hynny o beth. Ac ymgymerwr wedyn, wrth gwrs. Ie, erbyn meddwl, mae hynny'n ffordd fwy gonest o edrych ar y peth. Ymgymerwr oedd y sychlanhawr. Ei gyfrifoldeb ef oedd derbyn a pharatoi'r corff ar ran ei geraint. Gellid ymddiried ynddo i'w drin â'r parch dyledus.

Bid a fo am hynny, y cyfan a wnawn i bob bore Gwener oedd sicrhau bod y gwaith didoli hwn yn mynd yn ei flaen yn hwylus. Fyddwn i ddim wedi bradu cymaint o amser gydag un eitem arbennig, chwaith, oni bai am dri pheth. Yn gyntaf, yr oedd y perchennog dan sylw yn hwyr iawn: aethai dros chwe wythnos heibio ers i'r eitem hon gael ei glanhau a dangosai'r nodyn a glymwyd wrth yr hanger ein bod ni wedi ffonio Mr Klorex bedair gwaith i'w atgoffa. Ond efallai mai Klurax oedd hynny: roedd sgrifen Debbie'n flêr.

Yn ail, yr oedd yr eitem yn gynnyrch o safon: cot camel, *double-breasted*, a fawr ddim traul arni, hyd yn oed o gwmpas y coler, lle byddai'r defnydd yn arfer colli rhywfaint o'i raen. Hen ddiawliaid i'w cadw'n lân yw cotiau gwlân, yn enwedig y rhai lliw hufen, a doedd dim syndod bod mwy ohonynt yn dod trwy ddrysau sychlanhawyr nag a ddisgwylid ar gyfer dilledyn mor goeth ac mor ddrud.

Tynnais y got i lawr o'r rêl. A dyna pryd y des i'n ymwybodol o'r trydydd rheswm pam yr oedd yr eitem yn haeddu fy sylw. Ymdebygai hon i hen got camel fy nhad: cot *double-breasted*, a'r chwe botwm yn ddwy res. Codais y gorchudd plastig ac edrych ar y label. Filippo Iozzino. Yr un gwneuthurwr, felly; yr un model hefyd, o bosibl. Roedd blas y saithdegau arni, a dim un gwyfyn ar ei chyfyl.

Ni feddyliais ragor am y peth. Fel y dwedais, doedd gweld cot camel ddim yn beth anghyffredin i lygaid sychlanhawr profiadol. Roedd cotiau o'r fath yn weddol debyg i'w gilydd ac roedd Filippo Iozzino ymhlith y gwneuthurwyr mwyaf adnabyddus. O ystyried gwerth yr eitem, ac er mwyn osgoi unrhyw ddrwgdeimlad, gofynnais i Debbie roi un caniad arall i'r perchennog. Trois yn ôl at fy ngwaith rhag-sbotio. Roedd llwyth o siwtiau a ffrogiau i'w paratoi erbyn diwedd y bore. Roedd dau *duvet* hefyd, yn staeniau coffi i gyd, ynghyd â rhyw losgiadau bach y byddai'n rhaid i mi eu trin â gofal arbennig.

Pan es i i weld Mam y noswaith honno, ni soniais wrthi am yr un o'r manion hyn. Roedd y cyfan wedi suddo, gyda'r baw a'r sebon, i waddod fy llafur beunyddiol. Ac i beth fyddwn i'n ei hatgoffa am hen ddillad ei gŵr? Soniais yn hytrach am Daphne Burns, am y ffaith ei bod hi'n dal i alw heibio bob bore a gofyn i mi agor potel laeth neu dun o ffa. A gofyn i *fi* hefyd. Bôn braich dyn oedd ei angen arni: ni wnâi Debbie na'r un o'r merched eraill mo'r tro. Roedd Mam i'w gweld yn falch o glywed hynny, o deimlo bod rhyw barhad i bethau.

8

Dwedodd Debbie nad oedd modd cael gafael ar Mr Klerux.

'Klerux?'

Sillafodd yr enw.

'Dim Klorex?'

'Klerux sy fan hyn.'

Doedd Mr Klerux ddim yn ateb ei ffôn, meddai Debbie. Roedd hi wedi rhoi sawl caniad iddo a gadael sawl neges, ond yn ofer. Tawodd wedyn, a disgwyl fy nyfarniad.

'Ffona i fe'n nes ymlaen,' meddwn.

Ac efallai, erbyn meddwl, y dylwn fod wedi hen ddirprwyo cyfrifoldeb am fanion o'r fath i'm staff. Bues i'n rhy amddiffynnol o'm babi fy hun, yn orofalus ynglŷn â'i iechyd a'i dynged. Dylwn fod wedi dweud wrth Debbie: barnwch chi beth sydd orau, nid sioe un dyn yw hon. Cam gwag i reolwr busnes yw ysgwyddo pob baich ei hun.

Ar ôl i'r lleill fynd adref cefais gip arall ar y got camel. Fe'i daliais o dan fy nhrwyn a gwynto'r hen *perc*. Doedd dim yn syfrdanol ynglŷn â hynny, wrth gwrs: byddai *perc* yn dal ei afael am flynyddoedd. Cefais gip wedyn ar y dillad eraill a oedd yn disgwyl cael eu casglu gan Mr Klerux. Daeth mesur o ryddhad o weld mai dwy ffrog oedd yr eitemau nesaf. Cydiais yn eu hymylon. Ymgollais am eiliad yn eu diniweidrwydd. Ond cyn i mi eu gollwng, roeddwn eisoes wedi gweld y Bladen Blazers, un glas ac un llwyd, yn cwtsho yn ei gilydd. Hyd yn oed wedyn, o gydnabod bod Bladen Blazers yn bethau go gyffredin a bod pob un, bron, yn las neu'n llwyd, byddwn i wedi bod yn barod i dderbyn mai cyd-ddigwyddiad oedd hyn. Aeth cannoedd o ddillad trwy ein drysau bob dydd – miloedd mewn wythnos – a doedd dim syndod bod yr un cyfuniadau yn eu hamlygu eu hunain o bryd i'w gilydd.

Cot camel. Dau Bladen Blazer, un glas ac un llwyd. Annisgwyl ond nid afresymol. Byddai dyn a hoffai'r naill yn debyg o hoffi'r lleill. Dichon fod y dyn hwnnw wedi'u prynu ar wahanol adegau hefyd. Gallai fod degawd a mwy wedi mynd heibio rhwng prynu'r got a phrynu'r *blazer* glas. Peth twyllodrus, felly, oedd eu dyfod ynghyd yma, yn Sunshine Cleaners, ar gyfer defod y glanhau. Diau fod y perchennog wedi prynu ugeiniau o ddillad eraill yn y cyfamser, yn gotiau a siacedi a chrysau, a'r rheiny'n amlygu hoffterau tra gwahanol. Rhan fach o gynhysgaeth oes gyfan oedd y dillad a grogai o'm blaen. Ac am rannau bach, bach yn unig o'r oes honno roedd Mr Klerux wedi digwydd dilyn yr un llwybr â'm tad. Rhyfedd wedyn, wrth droedio'r llwybr hwnnw, ei fod wedi ymdroelli, yng nghyflawnder amser, tua'r union ddrws yr oedd fy nhad wedi mynd trwyddo beunydd beunos am ddeng mlynedd ar hugain. Rhyfedd. Annisgwyl. Ond nid afresymol.

Ni welais mohoni ar unwaith: roedd ffrog arall a rhyw orchuddion clustogau rhyngddi hi a'r *blazer* llwyd. Ond yna, o'i gweld, roeddwn i'n ei hadnabod yn syth, heb orfod ei thynnu hi i lawr na chodi'r gorchudd. Y modsiwt. Siwt borffor – digywilydd o borffor – a sglein y saithdegau arni o hyd, fel petai newydd ddod allan o'i phapur sidan. Hyd yn oed wedyn, mynnwn obeithio fod rhyw gamgymeriad wedi digwydd. Efallai fod enw Mr Klerux wedi cael ei roi ar y tocyn trwy amryfusedd. Efallai fod y mod-siwt wedi crwydro o ryw lwyth arall.

Es i at y cyfrifiadur, gan wybod na ddwedai hwnnw ddim celwyddau. Ac fe gefais gadarnhad. Eiddo Mr Klerux oedd y cyfan.

Deialais y rhif.

'Mr Klerux?'

Clywais lais menyw yn gofyn i mi adael neges. Ac rwy'n gwybod bod hyn yn beth hurt i'w ddweud, ond roeddwn i'n hanner disgwyl i'r llais fy nghywiro wedyn, am gamynganu enw ei gŵr. Roedd tinc awdurdodol yn y llais hwn, a rhywbeth ychydig yn biwis hefyd, fel petai'r fenyw ddienw'n gwarafun gwastraffu ei hamser wrth recordio'i gorchmynion.

'Prynhawn da i chi. Neges i Mr Klerux yw hon. Tomos Rowlands sydd yma, o Sunshine Cleaners. Mae'n flin gen i'ch poeni chi. Dim ond isie eich atgoffa chi fod gyda ni eitemau fan hyn sy'n perthyn i chi, eitemau sydd ddim wedi cael eu casglu ...' Ac yn y blaen. Ceisiais innau swnio'n awdurdodol.

O bryd i'w gilydd bydd cwsmeriaid yn gadael darnau arian yn eu pocedi, neu docynnau bws, neu hen dderbynebau o Tesco's, neu bethau cyffelyb. Fflwcs, gan amlaf. Unwaith des i o hyd i fodrwy briodas, yn sownd yn leinin hen siaced Harris Tweed, a chael y pleser o'i chyflwyno i'w pherchennog. Tynnais ddeigryn o'i lygad hefyd, wrth wneud hynny, ac er mai deigryn galar oedd hwn, mae'n debyg, ni chefais well diolch erioed. Ta waeth, y peth cyntaf a wnaem, wedi derbyn dillad i'w glanhau, oedd mynd trwy'r pocedi. O gael hyd i rywbeth – boed fflwcs neu drysor – rhoddem y peth hwnnw'n ddiogel mewn cwdyn bach plastig. Câi'r cwdyn ei glymu wedyn wrth yr hanger priodol, ynghyd â'r tocyn ag enw'r cwsmer arno a dyddiad ei ddyfod i'r siop. A dweud y gwir, byddwn yn eithaf balch pan gâi rhyw geiniog ddibwys ei hachub yn y fath fodd, oherwydd roedd ei dychwelyd i'r cwsmer yn arwydd o'n gonestrwydd, yn warant o'r gwasanaeth trwyadl a dilychwin y gellid ei ddisgwyl gan Sunshine Cleaners. 'Ymddiriedwch ynom ni. Gofalwn am bob edefyn.' Dyna oedd byrdwn y geiniog yn ei chwdyn plastig.

Roedd cwdyn o'r fath wedi cael ei glymu wrth wddf yr hanger a ddaliai'r Bladen Blazer llwyd. Ynddo gwelais ddarn o bapur wedi'i blygu yn ei hanner. Agorais y cwdyn a chanfod nad papur oedd e wedi'r cyfan, ond carden. O agor y garden, gwelais wahoddiad i barti dyweddïo. Roedd hwn i'w gynnal y nos Sadwrn canlynol yng Ngwesty'r Royal yn Ninbych-y-pysgod. Megan a Roger oedd y ddau ddyweddi. Ni nodwyd pa Megan a Roger. Nid enwyd y derbynnydd chwaith. 'Chi a'ch partner' oedd y geiriad anghynnes, efallai am nad oedden nhw'n ffrindiau agos, neu efallai am fod Megan a Roger yn rhy ddiog i fanylu. Roedd yr enwau siŵr o fod ar yr amlen, a honno wedi hen fynd i'r bin sbwriel.

Holais Debbie fore trannoeth. 'Wyt ti'n siŵr taw yn *blazer* Mr Klerux ffindest ti hwn?' Doedd Debbie ddim yn cofio. A doedd dim disgwyl iddi gofio, ddim ar ôl chwe wythnos. Ystyriais godi'r ffôn eto, gan ddefnyddio'r gwahoddiad fel esgus. 'Mr Klerux, Sunshine Cleaners sydd yma. Dim ond i ddweud ein bod ni wedi dod o hyd i …' Ond gwyddwn mai peth dwl fyddai hynny. Byddai Mr Klerux wedi hen ateb y gwahoddiad un ffordd neu'r llall.

Os oedd yn bwriadu mynd, byddai'r manylion eisoes yn ei ddyddiadur. Os nad oedd yn bwriadu mynd, ni fyddai ddim elwach o glywed gen i. A pheth di-werth oedd y pishyn carden ei hun. Gwahanol fyddai tocyn rygbi, wrth gwrs. Byddai dyn yn gweld eisiau un o'r rheiny. Tocyn cyngerdd hefyd. Ond hwn: beth oedd hwn ond papur sgrap?

Dechreuais golli amynedd gyda Mr Klerux am adael dogfen o'r fath yn ei *blazer* gorau, dim ond er mwyn drysu a phryfocio. Edrychais ar leoliad y parti wedyn a mynd i amau a fyddai Mr Klerux yn debyg o fynd beth bynnag. Tipyn o daith oedd Dinbych-y-pysgod dim ond ar gyfer parti dyweddïo; tipyn o gost hefyd, i Mr Klerux a'i bartner, o orfod aros dros nos. Ac i ddyn mewn oed …

'Tynnu 'mlaen oedd y Mr Klerux 'ma, Debbie?'

'Roedd e'n gwisgo tracsiwt.'

Synnais at hynny. Ceisiais ddychmygu'r Mr Klerux ifanc, gosgeiddig, yn barod i fynd am jog, yn dadlwytho'i ddillad ar y ffordd. Ifanc, gosgeiddig, iach, ac ychydig yn ddidoreth hefyd, siŵr o fod, a'i feddwl ar bethau amgenach. Ceisiais roi'r un Mr Klerux ifanc, gosgeiddig i mewn i'r got camel, yna'r Bladen Blazer, yna'r mod-siwt. Doedd yr un ohonynt yn ffitio, heblaw'r mod-siwt, efallai, a honno ddim ond fel gwisg ffansi, fel hen grair o oes ddirmygedig. A drowyd y lleill yn destunau sbort a chwerthin hefyd? Go brin. Peth safonol, diaddurn oedd y got camel ac ni allwn ddychmygu neb yn chwerthin am ben honno. Bu'n rhaid i mi ddod i'r casgliad felly nad y gŵr ifanc oedd piau'r dillad hyn. Dim ond galw heibio ar ran y perchennog wnaeth hwnnw. Ai hen ddyn oedd Mr Klerux wedi'r cyfan, felly?

Byddai hynny'n gwneud synnwyr. Hen ddyn oedd e, ac roedd e wedi hala'i fab – neu ei ŵyr, efallai – i gael ei got wedi'i glanhau erbyn yr achlysur arbennig.

Purion.

Y noswaith honno, pan gyrhaeddais adref, es i am dro ar hyd y gamlas er mwyn clirio fy mhen. Wrth sefyll ar y bont faen ac ystyried y dŵr yn llifo oddi tanaf, penderfynais nad oedd angen y got ar Mr Klerux ar gyfer y parti dyweddïo. Doedd dim angen y siacedi chwaith, na dim o'r pethau eraill. Efallai nad oedd Mr Klerux hyd yn oed yn sylweddoli bod ei ddillad yma, yn Sunshine Cleaners, yn aros amdano. Ei wraig oedd wedi bod yn gwneud sbring-clin, yn clirio'r wardrobs a'r dreirau, yn cael gwared â gwaddod y gorffennol – y fflêrs, y crysau blodeuog, y sgyrtiau brethyn coslyd – a dyma'r cyfan a oroesodd y cyrch didrugaredd hwnnw, yr ychydig weddillion nad oedden nhw'n tramgwyddo yn erbyn chwaeth yr oes newydd. Caent ddychwelyd wedyn i hongian am ddegawd arall, i anadlu'r camffor a llwch yr oesoedd.

A'r mod-siwt? Doedd gen i ddim esboniad am honno. Efallai ei bod yn dwyn atgof o ryw amser dedwydd, colledig. Creaduriaid mympwyol yw chwaeth a'r cof, ill dau: peth hurt yw disgwyl cysondeb ganddynt. Dyna a ddigwyddodd, felly. Roedd wedi digwydd o'r blaen, fe ddigwyddai eto. Roedd Mrs Klerux wedi hala'i mab i Sunshine Cleaners ac roedd yntau wedi ufuddhau, am fod y dillad yn gorwedd yno, yn gruglwyth mawr, ac ni allai eu hanwybyddu. Ond roedd hi wedi anghofio amdanynt wedyn. Aeth ei meddwl i'r wardrob gynnes, dywyll, i hongian ymhlith y fflwcs treuliedig, di-alw-amdanynt. A dyna lle'r oedd e o hyd, yn pendwmpian yn y llwch.

A doedd y mab yn malio'r un iot.

9

Gyrrais i Ddinbych-y-pysgod fore dydd Sadwrn. Roeddwn eisoes wedi trefnu ystafell am ddwy noson yn y Sea Breeze Guest House, llety bach rhyw ganllath o'r gwesty lle'r oedd y parti i'w gynnal. Dwedais wrth Debbie fy mod i'n mynd i gynhadledd o'r Textile Services Association i drafod *alternative solvent technologies*.

Llety bach moel, di-foeth oedd y Sea Breeze Guest House. Ni ddarparai ddiod na bwyd, heblaw brecwast, a hwnnw'n darfod am chwarter i naw ar ei ben. Peth naturiol wedyn – yn wir, peth angenrheidiol, o dreulio penwythnos yn Ninbych-y-pysgod – oedd mynd i ryw fan arall er mwyn caffael yr anghenion hynny. Gwesty'r Royal fyddai'r fan arall honno. Bues i'n paratoi fy sgript gydol y daith, ac wrth grwydro'r dre wedyn. 'Na, dwi ddim yn rhan o'r parti. Dod draw i gael pryd o fwyd wnes i. Oes gyda chi fwrdd yn rhydd?' Ac fe deimlwn rywfaint yn well, o resymegu felly. Ni fyddwn i'n gwneud dim nad oedd preswylwyr eraill y Sea Breeze a mannau cyffelyb yn ei wneud ar noswaith felly. Ac os nad oedd bwrdd ar gael, cawn beint wrth y bar.

Yn ogystal â bod yn ddi-foeth, doedd y Sea Breeze Guest House ddim yn cynnig yr un olygfa o'r môr. Ac os oedd awel iachusol i'w chael yn rhywle, yn unol â'r enw, nid fy stafell i oedd y lle hwnnw. Wynebai'r stafell hon *extractor fan* tŷ bwyta Indiaidd a hwnnw eisoes, am ddau o'r gloch y prynhawn, yn pwmpo allan ragflas o'r *kormas* a'r *vindaloos* a'r *biryanis* a fyddai'n llenwi boliau'i gwsmeriaid maes o law. Caeais y ffenest ond roedd yr aroglau eisoes wedi meddiannu'r lle. Roedden nhw siŵr o fod yn drwch trwy'r celfi a'r carpedi i gyd, a hynny ers blynyddoedd maith.

Es i am dro ar hyd traeth y gogledd, ar sgowt yr awel ddiafael. Es i i'r castell. Es i am dro ar draeth y de wedyn. Cymerais gip ar hwn a'r llall wrth fynd heibio. Gwelais fwy nag un *blazer* glas a meddwl, Ai hwnnw yw Mr Klerux, tybed? Dyna'i deip, yn bendant. A hwnna? A hwnna? Gwaetha'r modd, wrth i mi eu llygadu, gwelodd dau neu dri o'r Mr Kleruxes yma eu cyfle i dynnu sgwrs. Pwysodd un yn erbyn wal y prom a sôn yn hamddenol, fel petai trwy'r dydd gen i, am y tywydd diflas, a'r partis gwyllt, a gofyn wedyn a oeddwn i'n gwybod bod Haile Selassie yn arfer cerdded ar y traeth yma slawer dydd. 'Mynd â'i lewpard am dro,' meddai.

Ac fe synnais fod Mr Kleruxes mor gyffredin yn y lle bach hwn, a dechrau meddwl efallai fod Dinbych-y-pysgod yn nodedig am fagu dynion o'r fath, dynion y *blazers* a'r cotiau camel, a'u denu o bell hefyd, o bosibl. Teimlais braidd yn ddigalon wedyn o ystyried yr anawsterau a'm hwynebai, wrth geisio adnabod y gwir Mr Klerux o blith cymaint o rai tebyg iddo, a faint o lewpardiaid a phartis gwyllt y byddai'n rhaid i mi eu trafod cyn i mi gyrraedd fy nod.

Wedi blino ar y chwilio, ac yn dechrau gwlychu yn y

glaw mân, es i i'r Royal Hotel i gael te prynhawn; i gael rhyw syniad hefyd o hyd a lled y lle, ble'r oedd y stafelloedd cyhoeddus, a oedd yna restr o wahoddedigion i'r parti wedi'i rhoi i fyny, ac yn y blaen: rhyw ragbaratoi, rhag i mi gymryd cam gwag yn nes ymlaen.

Safai hysbysfwrdd ar ei ungoes yn ymyl y fynedfa. Nodwyd dau ddigwyddiad mewn llythrennau aur, plastig: cyfarfod o'r Tenby Rotary Club am saith o'r gloch yn y Gwen John Room; ac oddi tano, 'Private Function' am hanner awr wedi saith yn y Robert Recorde Room. *Private function*? Peth crintachlyd oedd y disgrifiad hwn, i'm meddwl i, ac fe'm cythruddwyd ganddo. Pam enwi'r Rotary Club a chadw'n dawel am Megan a Roger? Prinder llythrennau? Diogi? Ofn codi gwrychyn cyn-gariad y naill neu'r llall? A doedd yr un rhestr gwahoddedigion i'w gweld, ddim wrth y ddesg nac yn y dderbynfa.

Archebais de a sgons a mynd i eistedd ar y teras. Rhoddai hwn olwg o'r stryd islaw. O dynnu fy sedd at y wal, a gwyro drosti ryw fymryn, gallwn gadw llygad ar y mynd a'r dod, ac yn fwyaf arbennig ar y newydd-ddyfodiaid. Roedd yn briwlan o hyd ond bendith oedd hynny am mai fi oedd yr unig un i fentro allan a gallwn wylio faint a fynnwn heb dynnu sylw ataf fy hun. Daliwn ymbarél uwch fy mhen. Bendith oedd hynny hefyd. Fe'm cadwai'n sych ac fe ddarparai guddfan yn ogystal, petai'r angen yn codi. Doeddwn i ddim yn adnabod Mr Klerux ond doedd hynny ddim yn golygu na fyddai Mr Klerux yn fy adnabod i. Ac ni fynnwn iddo achub y blaen arnaf.

Doedd dim sgons. Doedd dim picau bach chwaith. Cefais ddarn o deisen geirios. Roedd honno'n sych. Am ryw reswm, dechreuais ofidio ar ran Megan a Roger a'u criw. Doedd y deisen sych a'r diffyg sgons ddim yn argoeli'n dda ar gyfer eu parti. Ac eto, erbyn i mi ystyried y mater ymhellach, fe sylweddolais efallai fod adnoddau'r gwesty wedi cael eu cyfeirio'n gyfan gwbl i'r cyfeiriad hwnnw, sef, i blesio'r ddau ddyweddi a'u gwesteion, ac i'r diawl â phawb arall. Byddent hwythau'n gwledda'n braf, tra bo llwch y llawr yn crafu am y briwsion.

Gadewais y deisen sych ar ei hanner a'i gwthio i ganol y bwrdd, gan obeithio y byddai hynny'n arwydd teilwng o'm hanfodlonrwydd. Cymerais gip di-fudd arall dros y parapet ac ymadael.

Dychwelais am saith o'r gloch a mynd at y ferch a oedd ar ddyletswydd yn y dderbynfa

'Allwch chi fy helpu, plis?'

Dwedais wrthi fod gen i neges i Mr Klerux. Roedd Mr Klerux wedi trefnu aros yno'r noson honno, ar ôl mynd i'r parti a oedd i'w gynnal – ac fe bwyntiais draw at yr hysbysfwrdd – yn y Robert Recorde Room. Ac roedd yn bwysig fy mod i'n cael gair ag ef cyn i'r parti ddechrau.

'Klerux?'

'Klerux.'

'Yn aros fan hyn?'

'Ie, fan hyn.'

'Heno?'

'Heno.'

Edrychodd ar ei chyfrifiadur.

'Klerux, wedoch chi?'

'Klerux, gyda "K".'

'K, L ...?'

'K, L, E, R, U, X ... Klerux.'

Doedd neb o'r enw hwnnw ar ei system, meddai. Doedd dim un enw yn dechrau gyda 'K'. Ac a oeddwn i'n siŵr mai yno, yn y Royal, yr oedd wedi trefnu aros? A oeddwn i wedi holi yn y Park neu'r Imperial, achos bod pobl yn aml yn cymysgu rhwng y Royal a'r Imperial, a'r Park hefyd, am ryw reswm, doedd hi ddim yn gwybod pam. Y Royal Parks, efallai.

Es i i fyny'r grisiau i'r bar ac archebu brechdan gaws. Prynais beint o'r cwrw lleol a chael sgwrs gyda'r dyn a oedd yn gweithio yno, am y tywydd a safon y cwrw, a chael ar ddeall iddo weithio yn y bragdy ei hun pan oedd yn iau. Ymlaciais. Darllenais y papur a chadw llygad ar aelodau'r Clwb Rotari yn mynd i'w cyfarfod, yn *blazers* i gyd. Gwelais, trwy'r drysau dwbl, y staff yn gosod y byrddau yn y Robert Recorde Room.

Cyrhaeddodd Megan a Roger yn brydlon am hanner awr wedi saith, a'u perthnasau a'u cyfeillion yn dynn ar eu sodlau, yn eu deuoedd a'u trioedd, bob yn gwlwm bach, dan gymylau trymion o bersawr ac *aftershave*. Aethant at eu bwyd. Caewyd y drysau. Yfais innau beint arall tra oedd y gwesteion yn gwrando ar yr areithiau. Clywais yr islais undonog yn y cefndir, yr ystrydebau arferol, enwau'r rhai na allent fod yn bresennol. Moelais fy nghlustiau, gan hanner disgwyl clywed enw Mr Klerux ymhlith yr ymddiheurwyr a'r cyfarchwyr o bell.

Gyda'r trydydd peint, a'r disgo eisoes wedi dechrau a'r goleuadau wedi'u troi'n isel, magais ddigon o blwc i fynd i'r Robert Recorde Room a holi dyn boliog (tad y

ddyweddi, fel y cefais wybod wedyn) a oedd Mr Klerux
wedi cyrraedd.

'Mr Clarence?' meddai hwnnw.

'Mr Klerux,' meddwn innau.

'Pwy yw Mr Clerics?'

Ar ôl y pedwerydd peint cefais ddawns gyda chwaer y
ddyweddi, menyw o'r enw Hilary. Erbyn hynny doedd neb
yn hidio pwy oedd pwy.

Yn ôl yn y Sea Breeze, llyncais dabled Ibuprofen a chysgu'n
llawer gwell na'r disgwyl. (Roedd gwynt y *vindaloos* wedi
cilio ac roedd y glaw trwm wedi carthu'r strydoedd o
hwyr-lymeitwyr.) Fore trannoeth, ar ôl brecwast brysiog,
a'r haul bellach yn llond y ffurfafen, gyrrais i Arberth a
gadael y got camel a'r Bladen Blazers a'r mod-siwt a'r tair
ffrog yn siop y Groes Goch. Dwedais wrth y ferch yno fod
y got yn arfer perthyn i Eric Morecambe.

'Eric …?'

Dodais fy sbectol haul ar fy nhrwyn a rhoi siglad i'r
fraich chwith. 'Eric Morecambe?' Siglad arall. 'Ac Ernie
Wise? Yr un bach â'r coesau blewog?' Canais linell gyntaf
'Bring Me Sunshine'. Ond doedd y gân yn golygu dim iddi.

'Mae'n flin …'

'Sdim disgwyl i chi gofio. Prin y galla i gofio 'n hunan.'

A chefais ryddhad o hynny, o'r ffaith ei bod hi'n rhy
ifanc i gofio dim. Roedd angof wedi llyncu hen ddillad fy
nhad, unwaith yn rhagor, gyda'r difaterwch priodol.

10

Amser cinio ddydd Llun, yn Sunshine Cleaners, roedd un o'r peiriannau golchi'n gollwng. Debbie sylwodd gyntaf, ond erbyn hynny roedd pwll bach eisoes wedi cronni ar ganol y llawr. Bu'n rhaid i mi roi'r gorau i'r rhag-sbotio am ychydig er mwyn mynd i atal y llif a cheisio canfod ei achos. Aeth Debbie i ymofyn mop a bwced. Rhoddodd arwydd 'Wet Floor' wrth y fynedfa.

Roedd yn amlwg, dim ond o wylio'r dillad a'u troelli anfoddog, bod y peiriant wedi cael ei orlwytho: myfyriwr coleg oedd y cwsmer a dyna roedd myfyrwyr wastad yn ei wneud, i arbed arian. Stopiais y cylch golchi ar ei hanner a'i newid i sbin. Llifodd y dŵr allan fel roedd e i fod, heb ddim gollwng pellach. Doedd dim byd yn bod ar y biben wacáu, felly. Roedd y drws i'w weld yn iawn hefyd: roedd ei sêl yn sownd o hyd, er gwaethaf y pwysau o'r tu mewn.

Rhois arwydd 'Out of Order' ar y peiriant diffygiol a dychwelyd at y gwaith rhag-sbotio. Cawn air â'r myfyriwr cybyddlyd pan ddelai'n ôl o'i ginio ac egluro bod rhaid iddo rannu'r llwyth rhwng dau beiriant. Byddai'n ddiwrnod drud iddo, ond siawns na ddysgai'i wers. Yna, wrth fynd ati gyda'r dryll stêm, a meddwl ymhellach, des i i'r casgliad mai'r biben lenwi oedd ar fai. Roedd wedi dod yn rhydd, mae'n rhaid, dim ond mymryn bach. Neu wedi pydru, efallai. Am dri o'r gloch, felly, pan oedd y siop yn llai prysur, es i'r tu ôl i'r peiriant ac archwilio'r biben honno. Ni welwn yr un twll ynddi. Rhois blwc i'r braced a gysylltai'r biben â'r peiriant. Roedd hwnnw'n sownd hefyd: mymryn o rwd oddi tano, o bosibl, ond dim byd o bwys. Es i'n ôl i gefn y siop i ymofyn sgriwdreifer. Llaciais y braced a thynnu'r biben yn rhydd. Symudais fy mys yn ôl ac ymlaen ar hyd y rwber, gan obeithio cael hyd i ryw hollt fach denau, dim ond blewyn bach o beth na allai'r llygad mo'i ganfod, efallai, ond yn ddigon o faint i agor yn y gwres a throi'r diferion bach yn llif cyson. Ond doedd dim i'w weld na'i deimlo. Roedd y biben yn gyfan, yn llyfn, heb yr un crych.

11

Gair byr am Dŵr Eiffel.

Bues i yno unwaith, gyda'm cariad, Rachel. Dim ond i'r ail lawr yr aethon ni am fod ofn uchder arni. Er hynny, cawsom olygfa odidog o'r ddinas. Profiad braf hefyd oedd sefyll yng nghanol y tŵr a gweld ei gannoedd asennau haearn yn ymestyn i bob cyfeiriad. Er hyn i gyd, gwyddwn eisoes o'm hastudiaethau fel prentis-bensaer nad yn y pethau gweladwy y canfyddid gwir ogoniant y strwythur hwn.

Mae gan Dŵr Eiffel ei lais ei hun. Ni all clust dyn glywed y llais hwnnw heb gymorth ond y mae yno, yn barabl unigryw, parhaus, i'r sawl sy'n berchen ar y cyfarpar priodol. Nid y synau allanol sydd gen i mewn golwg: clebran y miloedd ymwelwyr, achwyn y tacsis diamynedd, cŵan y colomennod ar bob llaw, a'r holl dryblith aflafar sy'n nodweddu Paris a dinasoedd tebyg.

Does dim dirgelwch ynglŷn â'r synau hynny. Sôn ydw i am lais y tŵr ei hun, y llais sy'n seinio y tu hwnt i glyw.

A byddech chi'n amau, efallai, a fyddai strwythur o'r fath yn gallu llefaru o gwbl, oherwydd onid cryniadau bach yn yr awyr yw pob llais? Siawns, meddech chi, nad yw Tŵr Eiffel yn rhy drwm, yn rhy gaeth i'r ddaear, i gynnal sgwrs â pheth mor ysgafn a disylwedd â'r awyr. Ond sylwch. Nid yn unig y mae llais haearn yn llawer mwy tawel nag iaith yr awyr, y mae hefyd yn llawer, llawer cynt. Petai llais yr awyr yn grwban, llewpard fyddai llais haearn. A phetaech chi'n sefyll ar frig Tŵr Eiffel ac yn cau eich llygaid ac yn gwrando ar ei lais gyda chymorth y peiriant pwrpasol, byddech chi'n methu dirnad p'un ai yno, wrth eich ochr, yr oedd y llewpard yn sefyll, ynteu i lawr yn y gwaelodion isaf. Ai rhu yw ei sŵn? Ai chwyrnu? Ydy e'n paratoi i'ch llarpio? Neu ydy e'n meindio'i fusnes yn ei wâl gudd ar lannau afon Seine? Dyna yw natur llais haearn. Llais chwim ydyw, a llais cyfrwys i'w ryfeddu. Doedd gen i mo'r cyfarpar priodol i glywed y llais hwnnw drosof fi fy hun. Ond dyna a ddarllenais. Mae dyn yn dod i wybod am bethau felly wrth baratoi at fod yn bensaer.

A dyma'r wers y mae'n rhaid i bawb ei dysgu os yw am ddeall natur y golofn haearn, boed honno'n Dŵr Eiffel neu'n rhan o hen felin fisgedi ym Mae Caerdydd. Siaradwch trwy'r awyr ac fe gewch eich dal mewn byr o dro. Siaradwch trwy haearn, a chi fydd ar y blaen, tu hwnt i afael pawb, hyd dragwyddoldeb, yn dduw bach caled yn troi am byth yn eich bydysawd bach eich hun. Celwyddgi neu beidio, chi fydd piau'r gwir.

Tua phedwar o'r gloch fore trannoeth oedd hi pan glywais yr 'ig' cyntaf. Roeddwn i yn y lolfa, yn sefyll ar y stôl, â'm clust wrth y piler. Pam oeddwn i yno? Am fy mod i'n chwilio am lais yr haearn – ei lais pur, digymysg, heb ddim ymyrraeth gan leisiau estron – ac os na allwn i gael hyd iddo am bedwar o'r gloch y bore, yna pryd? Rhaid cydnabod hefyd fy mod i'n pryderu, y bore hwnnw, am y peiriant golchi diffygiol yn Sunshine Cleaners. Onid gofidiau bach felly sy'n llenwi meddwl dyn yn yr oriau cynnar, di-gwsg? Cynigiai'r piler ddihangfa. Ni allwn wneud dim ynglŷn â'r peiriant golchi. Ond roedd y piler wrth law, yn gwahodd fy sylw a'm tendans.

Ar y dechrau doeddwn i ddim yn barod i dderbyn mai'r alarch oedd wedi dychwelyd. Sut gallai'r alarch *hwnnw* ddangos ei big eto, ac yntau wedi hen drigo a throi'n fudan? Sŵn aneglur oedd yr 'ig' hefyd, wedi'i wasgu rhwng llafariaid a chytseiniaid eraill. Weithiau, âi'r synau hyn i gyd yn sownd yn ei gilydd. Dro arall, safai'r 'ig' ychydig y tu ôl i'r lleill, fel petai'r alarch wedi cilio i'w nyth gan adael y llyn i'r adar llai. Hawdd wedyn oedd amau efallai na fu alarch yno o gwbl ac mai dim ond rhan o lais rhywbeth arall oedd yr 'ig'. Nabod pethau *mewn perthynas â'i gilydd* y bydd dyn yn ei wneud, yn ddi-ffael.

Y peth cyntaf wnes i, wrth glywed y synau anarferol hyn, oedd chwilio am esboniad rhesymol. Roedd nam ar y system ddŵr. Efallai fod swigen aer mewn piben yn rhywle, ac roedd holl bibau eraill y Felin yn lleisio eu cydymdeimlad. Neu efallai fod plymiwr wrthi'n barod, yn taro â'i forthwyl, yn troi â'i sbaner, yn tynnu a gwthio, yn tuchan a grwgnach. Ond, un ffordd neu'r llall, roeddwn i'n sicr mai problem dechnegol oedd hon: problem ddigon cyffredin hefyd, wrth i adeiladau o'r fath gael eu haddasu at ddibenion newydd. Achwyn hen felin yn erbyn yr oes fodern: dyna oedd swm a sylwedd y trydar trwblus.

Bu'n rhaid aros am sbel cyn i'r alarch nofio'n ôl ataf.

'Ig, Ig.'

Daeth yn nes.

'Ig, Ig, Ig, Ig.'

A doedd dim ots am y cytseiniaid na'r llafariaid: chwyn a hesg oedd y rheiny. Yr alarch oedd piau'r llyn unwaith yn rhagor. Roeddwn i'n byw dan ei big.

Disgynnais o'r stôl a throi'r radio ymlaen. Gwag-symerais am ugain munud yng nghilfachau difraw Radio 2. Treuliais ugain munud arall yn newid y sianeli, gan chwilio am ddiangfeydd amgenach. Cefais afael ar lais prudd, cysurlon Eva Cassidy. Yng nghysgod y llais hwnnw fe'm hargyhoeddais fy hun efallai nad oedd rhyw lawer o wahaniaeth rhwng sŵn asgwrn cefn yn dadfeilio a sŵn pibau dŵr, o'i ailgyfeirio trwy hen biler rhydlyd. Igian eu musgrellni'r oedden nhw ill dau.

Diffoddais y radio a dringo'n ôl i ben y stôl. Roedd yr alarch yn igian o hyd, ond yn y pellter. Ciliasai i lan bellaf y llyn, i ganol y brwyn. Dim ond yr 'ig' bach a'i bradychai. Aeth hwnnw'n llai ac yn llai wedyn, nes mai dim ond yr awydd i'w glywed a seiniai yn fy mhen, yn adlais gwan o'r peth ei hun. Ond gwyddwn ei fod yno o hyd, yn ei nyth, yn cuddio o'r golwg. Mudan dros dro oedd e. Gwyddwn hefyd mai dim ond trwy gael hyd i'r nyth honno y gallwn i ddofi'r hen big a'i igian dolurus. Tynnais lun o'r pileri, i fod yn fap i mi. Byddai'n hwyluso'r ffordd at nythod fy nghymdogion:

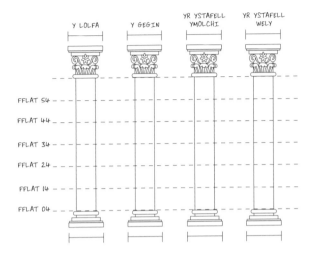

Nid dyma'r pileri i gyd, wrth reswm. Ceid fforest gyfan o'r rhain yn yr hen Felin a'r newydd fel ei gilydd. Ond dyma'r pileri a oedd i'w gweld yn fy fflat i ac a oedd yn ymestyn, mae'n rhaid, trwy'r llawr a'r nenfwd i'r fflatiau cyfatebol ar y lloriau eraill. Er hynny, ni allwn fod yn sicr fod y gyfatebiaeth yn un berffaith a chyflawn. Ai i lolfeydd eraill yn unig yr oedd y piler yn fy lolfa i yn mynd? Ai piler lolfa oedd hwn yn ei hanfod? Ynte a oedd yn ymweld ag ambell gegin neu ystafell ymolchi ar ei ffordd trwy'r adeilad? Cysondeb fyddai hawsaf o safbwynt pensaernïol: wrth geisio dygymod â'r wal grom, er enghraifft, neu wrth drefnu hynt y pibau dŵr. Lolfa uwchben lolfa. Cegin uwchben cegin. Ac yn y blaen. Bues i'n chwarae gyda'r syniadau hyn am gryn ddwy awr, gan fireinio'r llun yr un pryd, i ba ddiben dwi ddim yn siŵr: efallai dim ond i ladd amser. Ychwanegais addurniadau Doraidd i ddeupen pob piler, er nad oedd gen i ddim tystiolaeth bod y fath addurnwaith i'w gael yma yn y Felin, nac yn ei hentrychion nac yn ei gwaelodion. Ond hyd yn oed ar ôl i mi gwblhau'r trydydd drafft (a hwnnw'n cynnwys y grisiau a'r lifft), a phori yn rhai o'r llyfrau perthnasol (yn enwedig gwaith safonol Geerlings, *Wrought Iron in Architecture: An Illustrated Survey*), nid oedd eto'n bump o'r gloch y bore ac ni feiddiwn darfu ar yr adar mân a hwythau heb eto godi'u pennau o'u plu.

Bu'n rhaid i mi arfer amynedd trwy'r dydd. Er cymaint fy awydd i roi'r map ar waith, gwyddwn mai callaf fyddai aros tan yr hwyr i ymweld â'm cymdogion. Roeddwn i bellach ar delerau 'Shw mae?' a 'Shwd y'ch chi?' gyda'r rhan fwyaf o'r bobl a drigai ar fy llawr fy hun, ond dieithriaid o hyd oedd trigolion eraill y Felin. Barnais wedyn, o alw heibio gyda'r hwyr, mai aros tan ryw wyth o'r gloch oedd orau. Siawns na fyddai pawb wedi gorffen eu te erbyn hynny, ond byddai'n olau o hyd. Dôi pelydrau haul diwedd Mai trwy ffenestri ochr orllewinol yr adeilad i dwymo'r croeso.

O ganlyniad i'r ymatal hwn bues i ar bigau'r drain am ddeuddeg awr. Ofnaf i mi wneud cawlach fwy nag unwaith gyda'r rhag-sbotio. Rhois ddiferyn (dim ond diferyn, wrth lwc) o *potassium permanganate* ar siwmper *cashmere.* Doedd y difrod ddim tamaid gwaeth na'r staen gwreiddiol, ond nid dyna'r pwynt. Fy mai i oedd y difrod hwnnw a byddai'n rhaid i mi egluro wrth y cwsmer. Bues i ychydig yn swta wrth y peiriannydd hefyd pan alwodd hwnnw draw a dweud nad oedd dim byd yn bod ar y peiriant golchi diffygiol. Pan ofynnais iddo o ble, felly, roedd y dŵr yn gollwng, ysgydwodd ei ben. Holodd am y pibau all-lif, sef y pibau o dan y llawr a gludai'r dŵr brwnt i'r brif ddraen.

A oeddwn i'n siŵr eu bod nhw o'r lled priodol? Oherwydd os nad oedden nhw'n ddigon o faint, gallai hynny achosi i'r dŵr lifo'n ôl, yn enwedig pan fyddai'r peiriannau i gyd yn cael eu defnyddio. A oeddwn i wedi cymryd hynny i ystyriaeth, tybed, wrth ymestyn y golchdy? A oeddwn i wedi pwyso a mesur, nid yn unig beth oedd yn *debygol* o ddigwydd, ond hefyd beth *allai* ddigwydd? Dwedais i mi wneud yn well na hynny, diolch yn fawr. Dwedais i mi fanteisio ar wasanaeth pensaer wrth ymgymryd â'r gwaith, a bod hwnnw wedi cadw clasur Wise a Swaffield wrth ei benelin gydol yr amser. A allai yntau gynnig canllaw gwell? A wyddai yntau am ffynhonnell amgenach ar gyfer gwybodaeth o'r fath? Doedd ganddo ddim ateb i hynny.

Mynnodd £40 o dâl am ei anwybodaeth.

Ac eto, fe gyflawnodd y trafferthion hynny un peth o werth: aethant â'm meddwl oddi ar fy mhryderon eraill. Yn fwy na hynny, dwedwn i fod ymweliad ofer y peiriannydd ac anufudd-dod y peiriannau wedi magu ynof ryw ystyfnigrwydd cyfatebol. Pan gyrhaeddais adref am hanner awr wedi saith y noswaith honno, felly, bron na ddwedwn i fy mod i'n falch o gael mynd i'r afael â dirgelwch yr 'ig', pe na bai ond er mwyn mynd i'r afael â rhywbeth. Yn sicr, es ati gydag arddeliad, a doedd dim amheuaeth gen i na fyddwn i'n dod â'r poendod bach hwnnw i fwcwl cyn noswylio.

Cydiais yn y llun o'r pileri a mynd am y grisiau. Penderfynais ddechrau ar y llawr gwaelod. Pam hynny? Efallai am mai'r llawr gwaelod oedd y man agosaf at ddŵr y gamlas, a'r dŵr hwnnw'n gynefin naturiol i adar gwyllt. Ble arall fyddai perchennog yr 'ig' yn nythu? Ond hyn hefyd: y llawr gwaelod oedd y man pellaf, ac roeddwn i'n gobeithio mai yn y man pellaf hwnnw y trigai'r dihiryn fel y gallwn ei gadw hyd braich. Seiniai ei lais trwy'r piler o hyd, ond byddai sawl haenen o goncrit rhyngof i a'i big.

'Mr ...?'

Peth ffodus, felly, mai dyn lled gyfarwydd a oedd yn byw yn y gwaelod, yn Fflat 04. Roeddwn wedi codi llaw ar hwn fwy nag unwaith wrth fynd â'm car o'r maes parcio, a chael gwên serchog yn ôl.

'Phil ... Phil Merchant.'

Fe'm cyflwynais fy hun. Yna, 'Phil, tybed ydych chi wedi sylwi ...?' Dwedais wrtho fod staen wedi ymddangos ar y nenfwd yn fy fflat – staen dŵr, o bosibl – a hwnnw'n amgylchynu'r piler haearn. Eglurais fy mod i am fynd â'r mater ger bron y landlord a gorau po fwyaf ohonom a wnâi'r un peth, er mwyn cael y maen i'r wal. Dim ond y staen gafodd fy sylw: ni soniais am 'ig' yr alarch na'r un sŵn arall. Tybiwn mai doethaf oedd dechrau gyda'r llygaid. Roedd y llygaid yn llai dadleuol na chlustiau, ac yn llai tebyg o godi amheuon. Symudwn at y clustiau yn y man.

Tywysodd Phil fi i'w lolfa a buom yn sefyll yno am funud neu ddwy, yn archwilio'r nenfwd. Cynigiodd gwpanaid. Derbyniais. A thra oedd yntau yn y gegin, yn berwi'r dŵr, sefais a gwrando ar synau ei fflat. Sŵn y tegil a dra-arglwyddiaethai, a hwnnw'n cynyddu trwy'r amser nes iddo foddi pob sŵn arall. Yna daeth sŵn y cwpanau, a sŵn Phil yn cynnig bisgïen i mi, a sŵn ei barablu am

hyn a'r llall nes y bu'n rhaid i mi ddweud, 'Sssht, Phil ...'
Rhois fy nghlust wrth y piler a disgwyl i'r alarch godi'i
big. 'Ydych chi'n clywed rhywbeth?'

Gwnaeth yntau'r un peth. 'Dŵr, y'ch chi'n feddwl?'

Ond doedd dim i'w glywed. Roedd yr alarch â'i ben yn
ei blu unwaith eto

Hen gwpl oedd yn byw yn Fflat 14. Doedd dim staen ar eu
nenfwd nhw, meddai'r dyn, mewn llais swta, fel petawn i
wedi cwestiynu diweirdeb ei wraig. 'Nage rhentu y'n ni,'
meddai. 'Ni sy'n berchen y lle hyn.'

Gwaeddodd ei wraig o'r gegin fod y tato'n barod.
Cyhoeddodd dyn ar y teledu fod glaw trwm ar y ffordd.
Chwiliais am wich alarch yn y ddau. Ond dyw llais mewn
cegin ddim yr un peth â llais mewn piler, na llais teledu
chwaith.

Roedd arwydd 'Ar Werth' uwchben drws Fflat 24 a dim
ond tywyllwch i'w weld trwy'r ffenestri bach bob ochr iddo.
Ac er bod golau ymlaen yn Fflat 34, doedd neb gartref;
neu, o leiaf, ni chefais ateb. Siom oedd hynny oherwydd
roedd angen ymweld â phob un o'r fflatiau perthnasol er
mwyn cwblhau'r arbrawf. Byddai'n rhaid i mi ddychwelyd
drannoeth. Ond cefais groeso twymgalon wedyn gan
ddyn o'r enw Matt yn Fflat 54. Gofidiai'n fawr – a hynny'n
ddigon naturiol – mai ef rywsut oedd ar fai am y staen yn
y fflat oddi tano. Treuliodd gryn amser yn archwilio llawr
ei lolfa a damcaniaethu ynglŷn â'r hyn a allai fod wedi
digwydd. Cynigiodd gymryd golwg ar fy nenfwd, am fod
ganddo brofiad o bethau felly, meddai, a bu'n rhaid i mi

raffu celwyddau a dweud bod rhywun eisoes wedi addo dod draw, ac mai hen beth oedd e, fwy na thebyg, am nad oedd dim gwlybaniaeth i'w weld. Dwedodd 'O' a chynnig can o lager i mi. Cas gen i lager. Ond fe'i hyfais er mwyn bod yn gymdogol.

Ar ôl gorffen y lager, a gwrthod un arall, a thrafod manion y dydd, es i'n ôl i'm fflat fy hun a gwrando ar y piler. Clywais yr 'ig' ar unwaith. Tri ohonynt. 'Ig, Ig, Ig.' Un ar ôl y llall, fel petai'r alarch yn falch o gael fy nghroesawu'n ôl. Yna tri arall. 'Ig, Ig, Ig.' A phob un, y funud honno, yn ymdebygu i sŵn can lager yn cael ei agor. Nid y sŵn ei hun, wrth gwrs – nid y sŵn yn ei burdeb gwreiddiol – ond y sŵn a geid, o bosibl, o'i droi trwy haearn rhydlyd. A thawelwch wedyn. Tri 'ig'. A thri 'ig' arall. Metel yn sgramo metel.

Chwe chan yn cael eu hagor?

Es i i fyny'r grisiau unwaith eto a chanu cloch Matt, gan lawn ddisgwyl gweld, pan agorai'r drws, gwmni llawen wedi ymgynnull, a chan o lager yn llaw pob un. A buasai hynny'n dipyn o gyd-ddigwyddiad, bod y gwesteion i gyd wedi cyrraedd yr un pryd, a hynny o fewn dim i mi ymadael â'r lle. Cyd-ddigwyddiad hefyd eu bod nhw wedi agor eu caniau, nid yr un pryd, ond fel cloc yn tician, un ar ôl y llall. 'Ig, Ig, Ig.' Cloc amherffaith ond penderfynol. 'Ig, Ig, Ig.'

Agorodd Matt y drws. Roedd yn gwisgo'i got, yn dala ymbarél, ac ar dipyn o frys i fynd allan, yn ôl ei osgo. Cefais gip brysiog dros ei ysgwydd. Ni welais neb. A oedd y parti wedi chwalu mor fuan?

'Blin gen i'ch poeni chi eto, Matt.' Rhois garden

Sunshine Cleaners iddo. 'Dyma fy rhif ffôn i chi. Cyfeiriad e-bost hefyd. Os byddwch chi'n gweld rhywbeth …'

Sefais am eiliad, gan obeithio clywed can lager yn cael ei agor yn y cefndir, rhyw 'Iechyd da!' bach jocôs. Cymerodd Matt y garden. Camodd i'r coridor a chau'r drws ar y gwacter.

Es i'n ôl i'm fflat fy hun. Twymais i'r hanner plataid o basta a oedd yn weddill o'm swper y noson gynt. Doedd arna i ddim chwant bwyd ond roedd angen teimlo ei bwysau yn fy mola. Eisteddais yn y lolfa a throi'r teledu ymlaen, er mwyn llwytho rhyw bwysau dibwys i'm meddwl hefyd. Ac fe wyddwn, wrth sawru'r saws eildwym, na fyddai'r arbrawf byth yn ddilys nac yn gyflawn nes bod fy nghlust yn clwydo'n dawel fach ym mhob un o'r fflatiau, o 04 i 54, nes fy mod i'n clywed y caniau'n agor a'r ddiod yn llifo, a'r menywod yn chwerthin, a'r dyn yn siarad yn ei ddwrn, a'r wraig yn berwi'i thato ac yn gweiddi ar ei gŵr, a'r rhai a fu'n absennol yn dychwelyd ac yn gwneud eu priod synau eu hunain, a hynny i gyd yr un pryd. Clust ym mhob fflat, yn cwato'n dawel tu ôl i'r soffa, yn cwtsho gyda'r cwpanau yn y cwpwrdd llestri. Ac yn fy fflat fy hun hefyd, wrth gwrs, yn sownd wrth y piler. Chwe chlust i gyd. Clust i bob cymydog, i glywed y synau yn eu ffurf gysefin. A chlust wrth yr haearn, i gael deall sut roedd y byd cyfan wedi cael ei droi'n alarch, a'r alarch yn rhochian o hyd yn yr asgwrn cefn oedd wedi hen ddadfeilio. Fel y gallwn i ddweud wedyn, Ie, dyna fe! Dyna'r alarch! Dyna i gyd oedd e. Can lager. Chwerthin. Tato'n berwi. Bwyd yn barod.

A ble mae cael hyd i chwe chlust?

Codais lond llwy o basta a'i daflu at y piler. Cwympodd i'r llawr, gan adael staen coch ar yr haearn. Taflais lwyaid arall. Ni chydiodd honno chwaith. Diferodd y saws yn ddirmygus tua'r llawr. Codais a cherdded draw at y piler. Poerais yn ei wyneb.

12

Ar brydiau, wrth gwrs, bydd y camglywed yn gweithio'r ffordd arall.

Wrth seiclo i lawr i Waun Waelod, er enghraiffт, bydda i bob amser yn clywed y car rhithiol yn nesáu o'r tu ôl i mi. Dyw hynny ddim wedi newid yr un iot mewn deng mlynedd a mwy. Grwndi'r injan, sisial y teiars ar yr heol, tynnu tua'r ochr – dim ond rhag ofn – a gadael i'r gwacter fynd heibio. Ailgychwyn wedyn a gwrando ar gelwyddau fy olwynion fy hun, a'r brêcs, a'r coed, a'r clawdd, a gwybod mai twyll oedd y cyfan.

Ond weithiau, yn enwedig ar y penwythnos, pan fydd rhieni'n mynd â'u plant i'r ysgol farchogaeth gerllaw, bydd car o'r iawn ryw yn ymuno â'r rhith. Bydda i'n clywed y ddau yn nesáu'r un pryd ond fydda i ddim callach oherwydd mae sŵn y naill yn ymdoddi i sŵn y llall a wiw i mi geisio gwahaniaethu rhyngddynt. P'un yw e? Y car diddim eto? Neu gar go iawn, un caled, metel, a'r gyrrwr braidd yn ddiamynedd yn ôl y sŵn – ar frys i fynd adref, siŵr o fod, ac yn benderfynol o'm goddiweddyd, doed a ddêl, er bod yr heol yn gul ac yn droellog, a char yn dod y ffordd arall. A sut mae gwybod?

Ond yna, un tro, a'r heol yn dawel a'r plant i gyd wedi mynd adref, a sisial y teiars yn dod o'r tu ôl i mi, yn ôl y disgwyl, dyma fi'n penderfynu peidio â thynnu tua'r ochr. Rwy'n hen law ar y busnes celwyddau erbyn hyn, a does gan Waun Waelod ddim dirgelion mwyach. Sŵn yr injan, fel o'r blaen. Sisial y teiars. Ond yn lle tynnu tua'r ochr, dyma fi'n edrych dros fy ysgwydd. Siawns na wnaiff hynny'r tro. Oes car yn dod? Nac oes. Edrychaf dros fy ysgwydd a gweld dim. Yr hen dwyllwr sydd wrthi eto, yn chwarae'i gastiau, ond rwyf wedi achub y blaen arno'r tro hwn. Cip dros yr ysgwydd. Mae'r heol yn wag. Mae'r ffordd yn glir. Caf fynd yn fy mlaen yn ddidramgwydd, heb yr un perygl na rhwystr.

Pam, felly, ydw i'n tynnu tua'r ochr beth bynnag, a hynny ar y cyfle cyntaf? Pam, er gwaethaf fy mhenderfyniad diwyro i beidio â rhoi coel ar sibrydion yr hen gelwyddgi, ydw i'n ildio i'w swyn? Am fod y glust yn drech na'r llygad. Dyna pam. Ac efallai, hefyd, am fod dyn yn ofni bod gwacter yn gallu ei fwrw i'r llawr, yr un peth â char. Mae modd clywed ychydig a deall y cwbl. Ond mae modd clywed y cwbl a deall dim.

13

Wedi dychwelyd adref o'r gwaith, byddwn bob amser yn oedi am eiliad wrth gyrraedd y balconi ar wal yr atriwm. O'r braidd fy mod i'n ymwybodol o'r weithred hon. Rhyw bum llathen yn unig oedd hyd y daith rhwng y drws tân a drws y fflat: llai na phum eiliad o gerdded, felly. Ond roedd hynny'n ddigon. O arafu ychydig a chael cip sydyn ar y gromen wydr uwchben ac yna'r gwyrddni islaw, gallwn ymdeimlo unwaith yn rhagor â'r wefr gyntaf, a'r sicrwydd mwy syber wedyn bod y gofod hwn yn gefn i mi, bod fy nyth fach glyd yng ngafael derwen braff a gwydn.

Drannoeth fy ymweliadau â'r fflatiau eraill, wedi cyrraedd adref yn hwyr o'r gwaith, cerddais y pum llath hyn a sylwi bod dyn yn eistedd ar un o'r meinciau ar lawr yr atriwm. Peth eithriadol oedd hynny. Roeddwn wedi gweld y gwerthwr tai yn tywys darpar brynwyr trwy'r lle, fel y cefais innau fy nhywys fisoedd ynghynt. Ond ni chofiwn i mi weld neb yn eistedd yno, rhwng y planhigion, yn chwarae meddyliau. Dyn ifanc oedd hwn, yn ôl ei olwg. Gwisgai dracsiwt goch ac roedd ganddo gnwd o wallt golau. Gorweddai ei ddwylo yn ei gôl. Gwyrai'i ben ymlaen ryw fymryn, fel petai'n astudio cyflwr ei ewinedd.

Rhois besychiad bach er mwyn dal ei sylw, gan feddwl y byddai dyn a fentrai i le cymdogol fel hyn yn croesawu cydnabyddiaeth: sgwrs fach, o bosibl; neu, o'r hyn lleiaf, gyfarchiad cwrtais. Ni symudodd. Ystyriwn efallai nad oedd wedi fy nghlywed; neu, o glywed, nad oedd wedi deall mai peswch a glywsai. Ofnaf, er gwaethaf ei rhinweddau pensaernïol eraill, nad yw atriwm y Felin yn meddu ar yr union *gentle fall* a fyddai'n cyfleu pob sŵn yn ei burdeb. Pesychais eto, yn uwch y tro hwn. Gwyrodd y dyn ymlaen ychydig yn fwy, fel nad oedd namyn troedfedd bellach rhwng ei lygaid a'i ddwylo. Deallwn wrth hynny, yn gam neu'n gymwys, mai llonyddwch oedd ei angen ar y cyfaill hwn wedi'r cyfan. Er mai man ymgynnull oedd yr atriwm, yr oedd hefyd yn lloches rhag ymyrraeth y byd. Rhaid parchu hynny. Ar yr un pryd, peth braf oedd gweld rhywun yn eistedd yno, yn llenwi peth o'r gwacter. Calondid oedd teimlo bod cwmnïaeth i'w chael, hyd yn oed yma, yn y distawrwydd, ymhlith y planhigion alltud.

Am y rheswm hwn, ac am ei bod yn hwyr a minnau'n flinedig, ni thrafferthais ailymweld â Fflat 34 y noswaith honno. Cawn aros tan y penwythnos, pan fyddwn, gobeithio, wedi magu mwy o nerth. Perswadiais fy hun nad oedd dim i'w golli o oedi ychydig. Ni wrandewais ar y piler. Es i â chlwtyn a dŵr twym i'w lanhau. Rhois olchad i'r carped oddi tano. Ceryddais fy hun am fy mochyndra.

Calonogol hefyd, yn ieuenctid y bore, wrth gerdded yr un pumllath hynny, oedd sylwi ar rywun yn rhoi tendans i'r planhigion. Tybiwn mai hwn oedd yr un dyn ag a welswn y noson gynt. Meddai ar dracsiwt goch a gwallt golau. Ond roedd yn anodd dweud yn bendant, am ei fod bellach yn ei gwman, yn twrio ymhlith y blodau. Ni allwn ond gobeithio ei fod yn gwybod beth roedd e'n ei wneud. Roedd gan blanhigion trofannol eu gofynion arbennig, a rhaid eu diwallu'n ofalus. Ond roeddwn ar ormod o frys i'w wylio ymhellach. Y cyfan a welais o'r balconi, rhwng yr ail a'r pedwerydd o'r pum cam angenrheidiol, oedd dyn yn gwyro'n isel dros un o'r potiau mawr sgwâr. Ai'r pridd roedd e'n ei archwilio, ynte'r dail? Doedd dim modd gwybod. Ond un ffordd neu'r llall, ymddangosai fel petai'n rhoi sylw manwl i'w waith. Mae'n chwilio am bryfed, meddyliwn. *Aphids*, siŵr o fod. Dyna roedd ei osgo'n ei awgrymu. Ac roedd hynny'n gysur. Roedd yma, yn y Felin, rywun yr oedd buddiannau ei phlanhigion yn agos at ei galon. Ar unwaith, fe deimlwn yn fwy cartrefol.

Ni ddigwyddodd dim o bwys yn Sunshine Cleaners y diwrnod hwnnw. Wedi gorffen gwaith, cerddais adref trwy'r parc ac yna ar hyd ochr y gamlas. Cerddais yn hamddenol, gan fwynhau'r heulwen gynnes. Oedais wedyn a gwylio dwy frân a glwydai ar frig y wal gyferbyn. Yna trois fy sylw at yr hwyaid. Chwiliais am y pysgod a oedd, dybiwn i, yn sicr o fod yno yn nyfnder y dŵr. Oni bai fod bwyd i'w gael, pam fyddai'r hwyaid yn dewis ymgynnull yma? A oedd hwyaid hefyd yn mwynhau ymlwybro'n hamddenol ar hyd glannau'r gamlas? Go brin. Efallai fod llygaid hwyaid yn gweld yn well na'm llygaid i.

Pan ddes i at brif fynedfa'r Felin roedd ambiwlans yn sefyll yno, y drysau cefn wedi'u hagor led y pen. Gan na ddymunwn ymddangos yn fusneslyd, es i ar fy union i'r lifft. O gyrraedd y pedwerydd llawr, cerddais i ben pellaf y coridor ac edrych trwy'r ffenest. Ymhen dwy funud gwelais yr ambiwlans yn mynd heibio i gyfeiriad y ffordd fawr a'r ddinas. Es i i'r fflat ac agor ffenest y lolfa. Clywais sgrech gwylan. Murmur y ddinas. Olwynion ceir. Ond dim seiren. Ac os felly, nid oedd dim i boeni amdano.

Dyna sut yr ymresymwn.

14

Mae'n anodd dweud pwy dorrodd y garw. Rhwng prysurdeb gwaith a gofynion eraill, doeddwn i ddim wedi cael cyfle i ymdroi lawer ymhlith preswylwyr eraill y Felin. Am wn i, roedd hyn yn wir am y rhan fwyaf ohonom. O'r braidd y gwelem ein gilydd heblaw trwy ddamwain, a hynny ar adegau pan oeddem ar ormod o frys i sefyllian a rhannu sgwrs. Credaf hefyd – er ei bod yn gas gen i gyfaddef hynny – fod pensaernïaeth y lle yn rhannol gyfrifol am y diffyg cymdeithasu hwn. Roedd ein ffenestri i gyd yn wynebu tuag allan, yn ein denu tuag at y dŵr a'r awyr a'r ddinas. Doedd gan yr atriwm, druan, ddim gobaith. Peth da yw wynebu tuag allan, wrth gwrs. Gorfod dewis oedd y drwg.

Yna, yn ddisymwth, newidiodd popeth. Trwy'r Felin i gyd – yn y cyntedd, yn y coridorau, ar y balconïau – gwelid y cymdogion, yn glystyrau bach clòs, yn siarad â'i gilydd mewn lleisiau dwys. Na, nid trwy'r Felin i gyd, chwaith. Cadwem draw oddi wrth yr atriwm. Ond i'r cyfeiriad hwnnw y byddem yn taflu golwg bob hyn a hyn. 'Fan draw. Ar y fainc …'

Pwy oedd y cyntaf i ddweud? Dwi ddim yn siŵr. Ond gan Matt o Fflat 54 y cefais i'r newyddion. Roedd e'n sefyll wrth y brif fynedfa, gyda'i wraig, Sophie. 'Peth ofnadw,' meddai yntau. 'Ges i gymaint o sioc,' meddai hithau. Aeth Matt yn ei flaen i grynhoi'r hyn roedd Paula yn Rhif 27 wedi'i ddweud wrtho'r bore hwnnw yn y maes parcio, sef bod rhyw ddyn ifanc wedi cael pwl cas yn yr atriwm a marw yn y fan a'r lle. A oedd rhywun arall wedi dweud wrth Paula? Roedd hynny'n bosibl. Ond dyna sut y cefais wybod. A dyna'r wybodaeth a drosglwyddais innau yn fy nhro.

'Keith oedd ei enw,' meddai rhywun. 'Newydd symud i mewn hefyd,' meddai rhywun arall. 'Dyn ifanc. Tenau fel styllen. Yn byw yn Fflat 34.'

Pwy bynnag oedd y ddolen gyntaf, erbyn diwedd yr wythnos fe ymestynnai'r gadwyn i bob llawr o'r Felin. Gresynai llawer nad oedd Keith wedi gwneud mwy o ymdrech i ddod i nabod ei gymdogion. Awgrymodd un fenyw fod y dyn a fu farw 'dan ddylanwad'. Dwedodd iddi orfod cael gair ag ef un tro, i lawr yn y cyntedd, o'i weld yn baglu a bustachu'i ffordd i gyfeiriad y lifft. 'Heroin, siŵr o fod,' cynigiodd rhywun. Ond mynnai eraill mai salwch fu'r drwg, mai dyna oedd y symptomau, y gwegian afreolus yna, y simsanu a'r ffwndro. Roedd gan Paula frith gof, meddai, o weld Keith yn chwarae'r gitâr yng nghanol y dre, flynyddoedd yn ôl, a golwg ddigon shimpil arno bryd hynny hefyd. Ond dwedodd Ciaran, oedd yn byw drws nesaf iddi, nad oedd hynny'n debygol. Buodd yntau'n clera yn y ddinas hon a dinasoedd eraill ers ugain mlynedd a doedd e erioed wedi dod ar ei draws.

Bu pawb yn crafu pen wedyn ac yn ceisio cofio'r adegau prin hynny yr oedden nhw wedi gweld y dyn yn y dracsiwt, a ble, a sut olwg oedd arno, a llunio'u damcaniaethau eu hunain ynglŷn â'i hanes a'i dynged. Ac yn yr ysbryd hwnnw, fel un o'r cwmwl tystion, y gwnes i fy nghyfraniad bach i. Camais i'r atriwm yn y cof a pheswch unwaith yn rhagor er tynnu sylw'r dieithryn disymud islaw.

'Dim ond troi'i ben wnaeth e. Fel hyn ...'

Cyflwynais fy nhystiolaeth yn gynnil ac yn bwyllog. A doeddwn i ddim wedi bwriadu twyllo neb. Ond roedd yr wynebau'n disgwyl mwy a doedd gen i mo'r galon i'w siomi. Ar sail fy mheswch, felly, a'r gobaith am gyfathrach a'i sbardunai, dychmygais fod Keith, y tro hwn, wedi troi tuag ataf.

'Ddwedodd e rywbeth?' meddai rhywun.

'Naddo, dim ond … Dim ond …'

Ac efallai nad yr wynebau disgwylgar oedd yr unig reswm pam y dwedais i wedyn am sut roedd y dyn ifanc yn y dracsiwt goch wedi codi'i law, a chynnig gwên fach – a honno'n wên swil, heb ddim gair yn gymar iddi – ac am sut y codais fy llaw innau, a gwenu'n ôl, oherwydd erbyn hynny, o godi Keith o farw'n fyw, a'i roi ar lwyfan bywyd eto, sut gallwn i gyfaddef i mi fod mor ddiserch a didrugaredd ag anwybyddu cyfarchiad dyn oedd ar drengi?

Ac o ddweud cymaint â hynny, bu'n rhaid i mi sôn am yr hyn a welais fore trannoeth: Keith yn rhoi tendans i'r planhigion, ac i'w weld yn ddigon bodlon ei fyd hefyd, wrth wneud hynny, gan symud wrth ei bwysau rhwng un planhigyn a'r llall, yn archwilio'u blodau a'u dail.

'Doedd e ddim yn baglu?'

'Ddim o beth weles i. Dim unwaith.'

A dyna y bu'n rhaid i mi'i ddweud oherwydd, fel arall, byddwn i wedi gorfod cydnabod mai'r cyfan y bues i'n dyst iddo oedd dyn yn ei gwman, dyn a oedd, o bosibl, eisoes wedi marw. Ac os felly, sut fath o ddyn oeddwn i? Dyn a adawai i'w gymydog orwedd yno a cherdded o'r tu arall heibio?

'A beth wedyn?'

'Dim. Welodd e mohona i. Roedd ei feddwl siŵr o fod ar y planhigion.'

Ac os oedd hynny'n siom, credaf iddynt elwa rywfaint o'm stori. Roedden nhw'n falch na fu'r dieithryn yn gwbl ddiymgeledd wedi'r cyfan. Cafodd groeso o fath. Roeddwn innau, trwy'r wên fach a'r codiad llaw, wedi'i dderbyn i'n cymdogaeth ar eu rhan nhw i gyd. A bu hynny'n gysur iddynt.

Ac felly, yn ystod y deuddydd cyntaf ers marw'r dieithryn yn yr atriwm, gellid dweud bod pawb yn y gadwyn wedi torri rhyw ran fach o'r garw.

15

Sophie, gwraig Matt, a gynigiodd fod rhai ohonom yn mynd i'r angladd. Protestiais nad oeddwn i'n nabod y dyn. 'Buoch chi gydag e,' meddai hithau. 'Buoch chi gydag e yn ei oriau olaf.'

'Do, ond ...'

'A phwy arall?'

Sgwrs debyg gafodd hi gyda'r lleill, mae'n rhaid. Ond pan ddaeth y stori'n ôl ataf, yn llais rhyw ddieithryn o'r llawr uchaf, roedd hi wedi cael ei hystumio a'i helaethu'n sylweddol. Yn y fersiwn diwygiedig ohoni bu Keith a minnau'n ymddiddan yn frwd, a dim golwg o salwch arno, dim ond ei fod e'n isel ei ysbryd.

'Yn trial codi'i hwyliau oeddech chi, mae'n debyg,' meddai'r dieithryn hwnnw.

'Wel ...'

'Keith, druan.'

A Keith y peth hyn a Keith y peth arall oedd hi wedyn i bawb. Keith bob tro, fel petai'n gyfaill mynwesol. Cyfaill oedd wedi cael cam hefyd. A phawb fel petaen nhw'n credu nad oedd hi eto'n rhy hwyr i achub y cam hwnnw. Roedd Keith yn ei arch, ond doedd e ddim eto yn ei fedd.

'Keith, druan.'

Ar ôl cyrraedd yr amlosgfa, fe'm hysiwyd ymlaen i gwrdd â'r tad a'r fam; y chwaer hefyd, ac yna ryw hen ddyn a oedd efallai'n ewythr neu'n dad-cu. Eisteddai hwnnw mewn cadair olwyn, yn sugno'i wefusau, a golwg bell, bell yn ei lygaid, fel y buasai'n hawdd tybio bod rhyw gamgymeriad wedi bod ac mai mynd i'w angladd ei hun yr oedd e. A doedd dim angen adrodd wrthynt hanes y cwrdd yn yr atriwm oherwydd roedd y stori eisoes wedi cyrraedd eu clustiau hwythau hefyd.

'A beth wedodd e?' meddai'r fam. Yn betrus. Rhwng y dagrau. 'Does neb wedi gweud wrtha i beth wedodd e.'

'Wel, dim llawer ...'

'Ond ei eiriau olaf. Glywsoch chi ei eiriau olaf?'

Safodd y tad wrth ei hochr, â'i olygon tua'r llawr. Teimlai'n anesmwyth, rwy'n credu, am fod materion personol yn cael eu trafod o flaen dieithriaid. Tynhaodd y ferch ei gwefusau. Edrychodd arna i, a'i llygaid yn fy siarsio i ddewis fy ngeiriau'n ofalus, i fod yn garcus o deimladau ei rhieni.

'Wel ...'

Dwedais mai'r cyfan yr oedd Keith wedi'i rannu gyda mi, y noswaith honno, oedd ei hoffter o'r atriwm. 'Lle da i fynd i gael llonydd.' Dyna beth roedd Keith wedi'i ddweud. 'Lle braf, ymhlith y planhigion.'

'Ac wedyn?'

'Wedyn?'

'Beth wedoch chithau?'

Cododd y tad ei lygaid. Cydiodd y ferch ym mraich ei mam.

'Wel ... Fe gytunais i.'

'Ie?'

'Ac yna ...'

'Ie?'

'Ac yna, es i i eistedd gydag e. Es i i eistedd gyda Keith, ar y fainc. Dim ond am bum munud. I gadw cwmni iddo fe.'

'Chwarae teg i chi. Chwarae teg.'

Soniais wrthynt am y planhigion wedyn am fod angen llenwi'r pum munud dychmygol hynny a dreuliodd Keith a fi gyda'n gilydd ar y fainc yn yr atriwm. 'Siarad am y planhigion fuon ni. Mae'r atriwm yn llawn planhigion trofannol. Yuccas, palmwydd, coed ffigys ...' Ac roedden nhw'n synnu at hynny am nad oedd Keith erioed wedi dangos diddordeb mewn garddio. Buon nhw'n ysgwyd eu pennau ac yn ochneidio'n dawel, i ddangos pa mor bell yr oedd wedi mynd oddi wrthynt, hyd yn oed cyn iddo farw. Pawb, felly, ond yr hen ŵr, a eisteddai yn ei gadair olwyn, yn sugno'i wefusau. Roeddwn i'n falch, ar y pryd, nad oedd Matt a Sophie a'r galarwyr eraill o'r Felin wrth law i glywed y sgwrs hon. Ond rwy'n siŵr, erbyn hyn, petaen nhw wedi bod yno, y bydden nhw wedi maddau i mi fy nghelwyddau bach golau. Rhaid trugarhau wrth y trugarog.

Pan glywais y gweinidog yn siarad am Keith La Rue, chymerais i ddim sylw. Doedd La Rue yn golygu dim i mi, heblaw ei fod yn dwyn i gof yr hen Danny. Bues i'n chwarae meddyliau am hwnnw am sbel ac yn ystyried, tybed a oedden nhw'n perthyn, Danny a Keith, am fod La Rue yn enw go anghyffredin. Efallai, o gael cyfle, y byddwn i'n mentro gofyn i'r fam a'r tad. Roedden nhw i'w gweld yn bobl hawddgar. Siawns na fydden nhw'n croesawu'r cyfle i rannu atgofion am eu mab. Ac roeddwn i'n teimlo'n euog am fod gen i gyn lleied i'w ddweud amdano.

Keith oedd e i'r gweinidog ei hun wedyn, dim ond Keith, fel petaent hwythau'n ffrindiau pennaf hefyd. Bu Keith yn bêl-droediwr brwd yn ei febyd. Bu ganddo gyfeillion lu. Ymunodd â'r fyddin ar ôl ymadael â'r ysgol, gyda golwg ar ddysgu crefft. Ac yntau ym mlodau ei ddyddiau, roedd lle i obeithio bod dyddiau gwell o'i flaen. Chwalwyd y gobaith hwnnw, ond nid âi'n angof.

Ni chododd neb i ategu'r geiriau hyn. Ni lenwyd y bylchau mawr di-sôn-amdanynt yn hanes Keith. Ni chawsom wybod a ddysgodd grefft, na sut y bu'n byw wedyn, o arfer y grefft honno. A ble, tybed, roedd ei gyfeillion lu? Ai ni, cymdogion y Felin, oedd y cyfeillion hynny bellach?

Dim ond wrth i'r arch ddiflannu y tu ôl i'r llen yr edrychais yn fanwl ar daflen y gwasanaeth a sylweddoli na allai'r ymadawedig arddel yr un berthynas â Danny, oherwydd nid Keith La Rue a amlosgwyd y diwrnod hwnnw yn yr Eglwys Newydd, ond Keith Leroux. Ac wrth

147

i ni ymlwybro'n dawel tuag at yr allanfa, a gwrando ar ryw
gân bop na allwn mo'i henwi ond a oedd, mae'n debyg, yn
agos at galon Keith, a gweld Mr a Mrs Leroux a'u teulu'n
cysuro'i gilydd, a hyd yn oed yr hen ddyn yn sychu'i lygaid,
fe glywais fy hun yn dweud, 'Leroux, Debbie, Leroux, dim
Klerux', am fod angen i mi gystwyo rhywun am y fath
esgeulustod.

Ac wedyn: os mai Keith Leroux oedd Mr Klerux,
pwy oedd piau'r dillad? Ar ran pwy yn y teulu y daeth
y sgwadi â'r Bladen Blazers a'r got camel a'r mod-siwt
borffor i Sunshine Cleaners i gael eu glanhau? Ai'r hen
ddyn ffwndrus? Ai'r tad? Ac o dan amgylchiadau eraill
diau y byddwn i wedi mynd at hwnnw unwaith eto, i ofyn,
Ai chi piau nhw? Ac os felly, ai chi gafodd wahoddiad i
barti Megan a Roger yn Ninbych-y-pysgod? A ble fuoch
chi wedyn, oherwydd rwy'n siŵr na welais i mohonoch chi
yno, na'ch gwraig chwaith. A pham ddiawl na fyddech chi
wedi hala rhywun arall i ymofyn eich dillad os oedd eich
mab chi mor ddidoreth?

Ond roeddwn i'n eithriadol o drist wedyn o feddwl
bod y teulu wedi traddodi Keith i'w dragwyddoldeb heb
i mi roi'r dillad yn ôl iddynt, a doedd dim gwahaniaeth
pwy oedd piau beth, eiddo'r teulu oedden nhw i gyd, gwisg
eu galar. Noeth y daw pob dyn o groth ei fam a noeth y
dychwel yno. Ond, Duw a ŵyr, rhwng y groth a'r bedd, ni
all neb fyw heb ryw sgrepyn amdano.

16

Fore dydd Llun wedi'r angladd, ffoniais siop y Groes Goch yn Arberth a holi am y got camel a'r ddau Bladen Blazer a'r mod-siwt borffor. Treuliais dipyn o amser yn eu disgrifio hefyd, fel na fyddai dim camddeall. Ni fynnwn yrru o Gaerdydd i Arberth ar siwrnai seithug. Gwnes i'n siŵr bod y ferch yn sgrifennu 'Filippo Iozzino' ar ddarn o bapur cyn mynd i chwilio. Disgrifiais y botymau pres ar y *blazers*. Tybiais na fyddai ganddynt fwy nag un mod-siwt borffor.

Ymhen yr awr, ffoniodd y ferch yn ôl i ddweud bod y got a'r mod-siwt a'r *blazer* glas yno o hyd, ond roedd y *blazer* llwyd siŵr o fod wedi cael ei werthu. Gofynnais iddi edrych eto. Aeth awr arall heibio. Ffoniodd yn ôl a dweud bod *blazer* du ganddynt, ond nid un Bladen oedd e. A wnâi hwnna'r tro? Un smart oedd e, meddai, heb fawr ddim traul arno. Gwrthodais yn gwrtais. Ceisiais fy argyhoeddi fy hun bod tri allan o bedwar yn ganlyniad go lew.

Dwedais wrth Debbie y byddai Mr Klerux, neu un o'i dylwyth, yn galw i mewn rywdro i ymofyn ei ddillad, ond mai Leroux oedd yr enw iawn. Keith Leroux. A'i sillafu, er mwyn dangos iddi nad oedd golwg yr enw ddim byd tebyg i'w sŵn. Petai hwnnw neu honno'n digwydd dod heddiw, meddwn, byddai'n rhaid ei hysbysu fod y cyfryw ddillad yn cael eu cadw mewn lle arall, sef lle pwrpasol a neilltuwyd ar gyfer dillad nas casglwyd o fewn yr amser penodedig. Ond i beidio â gofidio. Byddai'r cwbl yn ôl yn y siop, bob edefyn, erbyn bore trannoeth, a chystal â newydd, os nad gwell.

Pan edrychodd Debbie yn syn arna i, a gofyn i mi ble yn gwmws roedd y man neilltuedig hwnnw, bu'n rhaid esgus bod y dillad i gyd gartref gen i. Pan edrychodd yn syn eto, dwedais wrthi nad oedd ots am y ble na'r sut na'r pam, ddim ar y funud, achos bod angen i ni baratoi'n ofalus ar gyfer yr ymweliad disgwyliedig. Roedd y cwsmer dan sylw, meddwn, wedi cael profedigaeth yn ddiweddar. Byddai'n rhaid ei drin â thynerwch arbennig. 'Ei drin' ddwedais i, oherwydd erbyn hyn roeddwn i'n ffyddiog mai'r tad a ddeuai i ymofyn y dillad. Gwaith tadau oedd ymorol am eu gweddillion eu hunain.

Yna, er mwyn osgoi camddealltwriaeth, cawsom rihyrsal fach. Es i i ochr arall y cownter. 'Mae'n wir flin gen i,' meddwn, gan ffugio llais y math o ddyn a fyddai, dybiwn i, yn anghofio casglu ei ddillad: llais hynaws ond hytrach yn ddryslyd; llais, hefyd, a thinc o alar ynddo. Dillad y tad oedd y rhain, ond ei fab a ddaeth â nhw yma yn y lle cyntaf, a'i fab, o bosibl, oedd i fod i'w casglu.

'Rwy'n gwybod 'mod i ar ei hôl hi,' meddwn, a dangos derbynneb i Debbie: ddim yr un gywir, wrth reswm, ond un go debyg. Arhosais iddi gasglu ei meddyliau. Yna, 'Y mab. Keith.' Rhois gryndod bach yn fy llais wrth ddweud yr enw. Oedais ychydig. Cymerais anadl. 'Keith ddaeth â'r dillad i mewn. O dan ei enw fe byddwch chi'n eu ffindio nhw, siŵr o fod. Keith Leroux.'

'Diolch, Mr Leroux,' meddai Debbie. 'Mae'r perchennog yn dweud ... Mae'n dweud, tybed allwch chi alw'n ôl 'nes ymlaen?'

'Na, Debbie. Fory. Dim 'nes ymlaen. Fory.'

'Iawn, sori … Mr Leroux, mae'r perchennog yn dweud, tybed allwch chi alw'n ôl fory, os yw hynny'n gyfleus. Mae'r eitemau'n cael eu cadw yn … yn …'

'Yn y storfa.'

'Yn y storfa. Ac maen nhw'n hollol saff f'yna ond bydd angen mynd i'w hôl nhw. Dyw'r storfa ddim yn bell. Nag yw. Ond dyw hi ddim yn agos chwaith. Beth rwy'n trial ddweud yw bod eisiau mynd o 'ma i'w hôl nhw, ac fe gymerith hynny 'bach o amser, rhwng popeth.'

'Allwch chi ddim mynd i'w hôl nhw nawr?' A siarad dan deimlad nawr, â golwg ymbilgar ar fy wyneb. Cwblhau gwaith a adawyd ar ei hanner gan fy niweddar fab roeddwn i, a doedd arna i ddim awydd mynd trwy'r un strach eto yfory.

'Mae'n wir flin gen i, Mr Leroux, ond mae'n rhaid i fi edrych ar ôl y siop.'

'A'r perchennog? Ydy'r perchennog yn rhy fisi hefyd?'

'Rwy'n ofni …'

'Ie?'

'Rwy'n ofni bod y perchennog yn dost.'

'Yn dost?'

'Wedi gorfod mynd at y meddyg.'

'O …'

'Gyda'i gefn. Mae Mr Rowlands yn dioddef yn ofnadw gyda'i gefn. O achos y gwaith trwm yma yn y *launderette*. Y codi a'r cario i gyd.'

'Wela i.'

'Ond bydd e 'ma fory i roi'r dillad yn ôl i chi ei hunan. Trwy'r dydd, bore a phrynhawn. Ac mae'n dweud …'

'Ie?'

'Mae'n dweud 'bod hi'n flin iawn 'da fe glywed am eich colled.'

Da, Debbie. Da iawn, wir.

Gyrrais i Arberth. Ar y ffordd, stopiais yng Nghaerfyrddin a phrynu Bladen Blazer llwyd newydd yn siop Max Evans. Talais £139 amdano. Pa ddewis oedd gen i? Sut gallwn i roi ag un llaw a dwyn â'r llall? Os talu dyled, taled y cyfan. Wrth lwc, menyw wahanol oedd yn gweithio'r diwrnod hwnnw yn siop y Groes Goch yn Arberth. Talais £45 am y tri dilledyn. Ystyriais fod hynny'n fargen, o gofio'u hansawdd, ac o gofio'n arbennig gysylltiadau neilltuol y got camel. Rhois gyfraniad o £10 i'r achos. Yna es i i dafarn cyfagos. Tretiais fy hun i bryd blasus. Dathlais ein haduniad. Yn yr un ysbryd, es i'n ôl i Gaerfyrddin ar hyd yr heolydd bach er mwyn ymweld â Phen Llwyn. Cefais ychydig o siom o weld bod waliau pinc fy machgendod wedi cael eu paentio'n wyn a ffenestri newydd wedi'u gosod. Ar y llaw arall, calondid oedd deall bod rhywun wedi mynd i gymaint o drafferth, a bod hen gartref Mam-gu a Dad-cu felly mewn dwylo saff. Tynnais ffotograffau o'r tŷ a'r tai mas a'r golygfeydd bob ochr. Byddai Mam a Mam-gu yn eu gwerthfawrogi.

Pan gyrhaeddais adref, cadwais draw oddi wrth y piler siaradus, rhag cael fy siomi. Ofnwn ei bod yn rhy gynnar i fynnu distawrwydd ganddo. Doedd y fargen heb gael ei tharo eto, ddim yn derfynol. Rhaid dychwelyd y dillad cyn derbyn fy ngwobr. Gadewais lonydd i'r pileri eraill hefyd. Trois y radio ymlaen, a'i adael ymlaen, hyd yn oed ar ôl i mi fynd i'r gwely, rhag ofn i mi gael fy nhemtio gan ryw sŵn strae a theimlo rheidrwydd i'w gwrso i'w wâl.

Es i â'r dillad yn ôl i Sunshine Cleaners fore trannoeth a'u rhoi ar yr hangeri priodol, sef, ymhlith yr eitemau hwyr, ac eto ychydig ar wahân, er mwyn cadarnhau eu statws arbennig. Gwnes label newydd, a'r enw cywir arno, ynghyd â'r geiriau 'I'w casglu'. Ni nodais ddyddiad. Doedd y dyddiad ddim yn berthnasol mwyach. Rhois y gwahoddiad i barti Megan a Roger ym mhoced y *blazer* llwyd, sef y *blazer* newydd y bu'n rhaid i mi'i brynu. Teimlais braidd yn chwithig wrth hongian hwn ymhlith y lleill gan nad oedd yn hwyr, a doedd e ddim yn perthyn i Dad nac i'r teulu Leroux. Hyderwn na fyddai neb yn sylwi. A hyd yn oed o sylwi, a holi, roedd lle i obeithio y bydden nhw'n gwerthfawrogi fy ymdrechion i wneud iawn am fy nghamwedd.

Ni ddaeth neb o deulu Keith i'r siop y diwrnod hwnnw.

Es i â'r ffotograffau o Ben Llwyn draw i dŷ Mam. Roedd hi'n falch o weld bod cystal graen ar y lle. Daethant â gwên i wyneb Mam-gu hefyd, er iddi fynnu mai gwyn fu'r waliau erioed. Rhyfedd sut mae'r cof yn pylu, hyd yn oed y cof am bethau a lleoedd a fu mor gyfarwydd. Dwedodd Mam nad oedd hithau'n cofio'r waliau pinc chwaith. Ac roedd chwant arna i fynd i chwilio am yr hen lun a dynnais pan oeddwn i'n grwt bach, i brofi'r peth. Ond cysuro Mam-gu roedd hi, rwy'n credu, a doeddwn i ddim am frifo teimladau'r un ohonynt.

Y mae'r dillad yma ers tri mis. Dwi ddim wedi mentro ffonio'r rhif. Does arna i ddim awydd clywed llais y fenyw biwis yna eto. Rhaid cyfaddef fy mod wedi drysu hefyd am nad oedd y llais hwnnw ddim byd tebyg i'r un o'r lleisiau a glywais yn yr angladd, na'r fam na'r chwaer nac unrhyw aelod arall o'r teulu. Rwyf wedi ystyried ysgrifennu at Mr a Mrs Leroux. Peth rhwydd fyddai hynny, mae'n debyg, trwy gyfrwng yr ymgymerwyr: anfon llythyr, trefnu amser i gasglu'r dillad neu, petaen nhw'n byw yn y cyffiniau, cynnig mynd â'r cwbl draw atyn nhw. Dyna fyddai orau, does dim amheuaeth gen i. Cawn eu gwared wedyn, unwaith ac am byth. Dwedwn y ffarwél olaf.

A phetawn i'n mynd â'r dillad draw atynt, siawns na chawn i gyfle hefyd i ofyn mwy o gwestiynau: y cwestiynau na allwn eu gofyn yn yr angladd, y cwestiynau nad oedd yn briodol eu gwyntyllu pan oedd pawb yng ngwewyr cyntaf eu galar. 'Eich mab, Mrs Leroux ... Gobeithio nad oes ots 'da chi 'mod i'n dweud hyn, ond roeddwn i'n teimlo mor chwithig ar y pryd, mor ddiymadferth. Taswn i'n gwybod ei fod e'n sâl, efallai y gallwn i fod wedi ...' Rhyw ragymadrodd felly. A byddai'r tad yn rhoi ei law ar fy mraich a dweud, 'Na, peidiwch â gofidio, Tomos bach, doedd dim y gallai unrhyw un ei wneud. Roedd Keith yn dioddef gyda ...' Ac enwi'r salwch. Dim ond sefyll yno a wnawn i wedyn, yn gwyro fy mhen, wrth iddo ddisgrifio union natur y cyflwr a laddodd ei fab. Ond efallai mai eistedd y bydden ni erbyn hynny. Ie, petawn i'n mynd â'r dillad draw i'r tŷ byddai Mr a Mrs Leroux, siŵr o fod, yn cynnig cwpanaid i mi. Cawn fy ngwahodd i eistedd yn eu lolfa wedyn ac yno, o dipyn i beth, wrth glosio at ein gilydd, byddem yn rhannu'n cyfrinachau. Byddai Mr Leroux yn crybwyll bod ei fab, erbyn y diwedd, yn amlygu symptomau go anghyffredin. 'Roedd e'n igian yn ddi-baid, wyddoch chi. Achos y steroids, mae'n debyg.' Ac eto, dim igian cyffredin oedd e, ond rhyw sŵn bach od i lawr yn y gwddwg, sŵn tebyg i alarch, gallech chi ddweud, pan fo hwnnw'n eistedd draw yn y brwyn, yn amddiffyn ei nyth. Efallai na fyddai'n sôn am yr alarch, ddim mewn cymaint o eiriau, ond byddai ganddo'i eiriau ei hun ar gyfer disgrifio'r peth. Geiriau tad galarus. Ac fe wnâi hynny'n gywir ac yn ffyddlon, mewn ffordd a oedd yn deilwng o'i unig-anedig fab a'r cof amdano. A byddwn i'n gwybod mai dyna i gyd oedd y llais yn y piler. Keith druan, i lawr yn Fflat 34, yn igian ei salwch. Gallwn i roi'r dillad yn ôl iddyn nhw wedyn. Cael eu gwared, unwaith ac am byth.

Y clebar hwn sy'n llenwi fy meddwl o hyd, yn troi a throi fel peiriant golchi, *dwc-dwc-dwc-dwc*. Mae'n troi ers tri mis a dwi ddim wedi mentro eto. Busnes y 'cael gwared' yw'r maen tramgwydd. Cafwyd gwared â'r got camel a'r Bladen Blazers a'r mod-siwt unwaith o'r blaen ac fe ddaethant yn eu hôl, yn deulu clòs, i'r man lle bu dechrau'r daith. Dwi ddim yn credu y gallwn i ddygymod â hynny eto, yr esgymuno a'r dychwelyd adref wedyn, yn llawn chwerwedd a thristwch.

Mae'r busnes ar i fyny eto. Trwy hysbysebu dyfal, a gostyngiadau hael, llwyddais i ddenu llawer o gwsmeriaid newydd. Eu cadw nhw fydd y gamp, wrth gwrs, ond safon y gwaith sy'n magu teyrngarwch bob tro a does dim amau trylwyredd y glanhau yn Sunshine Cleaners. Braf yw cyfrif nifer o'm cymdogion ymhlith y cwsmeriaid newydd hyn. Gwnaeth Sophie, gwraig Matt, drefniant rheolaidd i lanhau gwisgoedd y cwmni dawnsio y mae'n gweithio iddo. Bydd Phil Merchant, o Fflat 04, yn dod yn ddeddfol bob wythnos ar gyfer *service wash*. Felly hefyd Paula, o Fflat 27. (Mae Paula'n rheoli tŷ bwyta yn y Bae ac yn dod â'r llieiniau a'r napcynon atom.) Rhaid cyfaddef mai ymweliadau Paula a groesawaf fwyaf. Mae ei fflat yn bell o'r pileri a fydd hi ddim yn holi am hynt staeniau ar lawr a nenfwd. A bod yn gwbl onest, ac er cymaint yr wyf i'n croesawu eu busnes, mae'n well gen i gadw o'r ffordd pan fydd Matt a Sophie a chymdogion eraill y pileri'n galw heibio. Does gen i ddim yn eu herbyn fel unigolion, cofiwch. Eu lleisiau yw'r drwg. Mae eu lleisiau, gwaetha'r modd, i gyd wedi'u baeddu gan rwd yr haearn. Trwy rannu piler â'r alarch, heintiwyd pob un â'i glefyd.

Dim ond yn achlysurol y bydd Daphne Burns yn dod i'r siop erbyn hyn. Mae hi wedi symud at ei merch i fyw a gall ofyn iddi hithau agor ei thuniau a'i photeli. Dyna fydd ei merch yn ei wneud beth bynnag, siŵr o fod, heb iddi ofyn. Prin fod angen i Daphne ddod allan o'r tŷ mwyach.

Ond unwaith, pan oedd eu peiriant golchi wedi torri, daeth y ddwy i Sunshine Cleaners gyda'u baich bach. Roedd y ferch i'w gweld braidd yn anesmwyth, efallai am nad oedd hi'n gyfarwydd â mynychu *launderettes* a dangos ei dillad i'r byd, hyd yn oed ein byd bach ni, a hwnnw'n llawn dillad tebyg a neb yn malio taten. A dyna pam y trodd Daphne ata i, rwy'n credu, a holi am yr hen ddyddiau, pan oedd Dad yn gweithio yma, fel y gallwn i rannu stori gyda nhw a gwneud i'w merch deimlo'n fwy cartrefol.

Dwi ddim yn un mawr am ddweud storïau, ond fe

soniais wrthynt am y dyn a ddaeth i mewn unwaith, flynyddoedd mawr yn ôl. 'Dyn mawr tal, a glasys 'da fe. Da'th e miwn a rhoi ei got ar y cownter. *Camel coat* fowr, a dwy res o fotymau, fan hyn a fan hyn.' Dewisais y stori honno am ei bod hi'n gyfarwydd ac roeddwn i'n gwybod y byddai'n plesio Daphne. Ac o blesio Daphne, siawns na fyddai'n plesio ei merch hefyd.

Es i i'r cefn a thynnu'r got i lawr o'i hanger a dod â hi'n ôl i'r siop. 'Dyma hi.' Rhois y got amdanaf a chlymu'r botymau. 'Roedd hi'n rhy fowr i Dad, cofiwch.'

'Rhy fowr i chithe hefyd,' meddai Daphne, a chwerthin. 'Rhy fowr o gryn dipyn.'

Dangosais iddyn nhw wedyn sut roedd y dyn mawr tal wedi rhoi siglad i'w sbectol. 'Fel hyn.' A gwnes i'r un peth fy hunan, neu esgus gwneud yr un peth, oherwydd dwi ddim yn gwisgo sbectol. 'Roiodd e siglad idd' 'i lasys e, fel hyn, a wedodd e, "Sa i'n gwbod ble mae'r un bach. Chi ddim wedi'i weld e, y'ch chi? Mae coese bach blewog 'da fe. Smo fe'n cwato yn un o'r *tumblers* 'ma, ody e?"'

Aeth y ddwy i chwerthin eto, y fam a'r ferch, a gwneud lluniau yn eu meddyliau o'r ddau ddyn od, y naill yn chwilio am y llall, fan hyn, yn Sunshine Cleaners, y dyn glasys a'r dyn coesau blewog. '"Smo fe'n cwato yn un o'r *tumblers* 'ma?" wedodd e. Fan hyn. Jyst lle y'ch chi'n sefyll nawr.'

'Ti'n gweld,' meddai Daphne wrth ei merch. 'Wedes i, on'd do fe? Wedes i byddet ti'n cael gwd laff.' Estynnodd ei llaw a rhoi mwythau i'r botymau â blaenau'i bysedd.

'Ddaeth e ddim 'nôl, 'te?' gofynnodd y ferch. 'Ddaeth e ddim 'nôl i mofyn ei got?'

A bu'n rhaid i mi egluro.

'Trueni,' meddai.

'Colled fawr,' meddai ei mam.

Mae'r peiriant golchi diffygiol yn gollwng dŵr bob hyn a hyn ond mae Debbie a fi wedi dod i arfer. Dwi ddim am fynd i gloddio dan y llawr eto. Haws trefnu nad yw pob peiriant yn pwmpo dŵr allan yr un pryd. Pwyll piau hi. Cadw llygad ar bethau.

Fydda i ddim yn gwrando ar y pileri mwyach. Keith ddaeth â'r dillad a Keith oedd piau'r 'ig' hefyd, does dim dwywaith gen i. Ac mae hwnnw wedi mynd. Rhydd i haearn ei lais ei hun, wrth gwrs, ond beth yw hynny i mi? Llaw dros y glust, felly, achos rwyf wedi clywed gormod yn barod: clywed gormod a methu ei ddidoli na'i ddeall. Dyna sut y bues i erioed. Bydd y sgan yn profi hynny, maes o law, pan gaf i afael arno. Llaw dros fy nghlust, i fygu sŵn y peiriant golchi. *Dwc-dwc-dwc-dwc.* Sŵn dillad yn troi yn y groth. Spick 'n' Span. Sick in a pan. Ynteu ai Dad oedd hwnna? Dad yn chwerthin. Dad yn gweiddi. Dad yn taflu plât. Dad yn cnucho Mam, yn rhoi ei wers gyntaf i mi. *Dwc-dwc-dwc-dwc.* Clatsio'r ddau ohonon ni'r un pryd. Llaw dros y glust, felly. I fygu pob sŵn.

Y flwyddyn nesaf bydda i'n cofrestru fel myfyriwr aeddfed. Mae Prifysgol Bryste'n cynnig cwrs da mewn pensaernïaeth a'r amgylchedd. Bydd rhaid i mi drefnu llety yn ystod yr wythnos ond gallaf ddod adref dros y Sul, i wneud yn siŵr bod pawb yn dod i ben. Cytunodd Debbie i ysgwyddo mwy o'r baich. Bydd angen cyflogi cynorthwyydd arall ond mae gen i ddigon o arian wrth gefn i fforddio hynny, am ychydig, o fod yn ddarbodus. Mae Mam yn dweud na fydd hyn yn broblem iddi hithau chwaith, cyhyd â bod Mam-gu'n para'n iach. Mae hi'n ddigon sionc ar hyn o bryd, o ystyried ei hoedran. Fel cneuen.

Cyfrolau eraill gan Tony Bianchi